Hongaarse zigeuners

Verhalen van overlevers

Jutka Rona

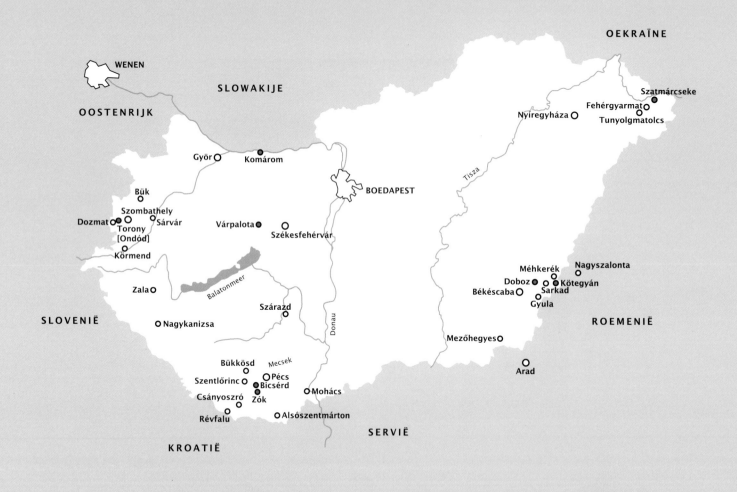

WENEN

OOSTENRIJK

SLOWAKIJE

OEKRAÏNE

Szatmárcseke
Fehérgyarmat
Nyíregyháza
Tunyolgmatolcs

Györ
Komárom

BOEDAPEST

Tisza

Bük
Szombathely
Dozmat
Torony
[Ondód]
Sárvár
Várpalota
Székesfehérvár
Körmend

Méhkerék
Nagyszalonta
Doboz
Kötegyán
Békéscsaba
Sarkad
Gyula

Zala

SLOVENIË

Balatonmeer

Szárazd

Nagykanizsa

Donau

Mezőhegyes

ROEMENIË

Mecsek
Bükkösd
Arad
Szentlőrinc
Pécs
Bicsérd
Csányoszró
Zók
Mohács
Révfalu
Alsószentmárton

SERVIË

KROATIË

0   25   50 km

Hongaarse zigeuners

De weg naar Csillageröd (Sterrenfort),
Komárom.

6

Getuigenissen van een verguisd volk

Iedereen kent de foto van het meisje dat een laatste blik werpt uit de bijna gesloten deuren van de veewagon naar Auschwitz. Dat beeld staat voor velen symbool voor het lot van de opgepakte joden. Tot voor kort wist bijna niemand dat het niet een joods meisje, maar een zigeunermeisje was.

In 2004 is het Holocaust Memorial Center geopend in Boedapest. In het ene deel van het complex toont het Auschwitz Album in drie zalen aan de hand van foto's de aankomst van een trein uit Hongarije, de selectie op het perron en de volgende stadia, tot aan het wachten buiten de gaskamers.

Het andere deel van het Center is een prachtig gerestaureerde Jugendstil-synagoge, waar een permanente tentoonstelling de vervolging van de Hongaarse roma en sinti (zigeuners) in beeld tracht te brengen. Naast het schaarse fotomateriaal zijn er gesproken getuigenissen te horen en op een grote kaart van Hongarije zijn de werkkampen, concentratiekampen en massa-graven aangegeven. Ik wist wel dat ook zigeuners ernstig hebben geleden onder het nazibewind, maar wat ik op de kaart zag schokte me zo, dat ik op onderzoek ging.

Na enige research besloot ik de plekken van de massagraven te fotograferen. En niet zoals ze in het Memorial Center op een video te zien zijn: droevige, stille plekken, lege velden, op herfstbladeren druppelende regen in een bos of vergelijkbare beelden. Nee, ik wilde het dagelijks leven van overlevenden laten zien, als getuigenis van de veerkracht van de zigeuners.

Ik dacht dat mijn project gemakkelijk uit te voeren zou zijn: een plek opzoeken waar zigeuners in een naamloos graf liggen en vervolgens de overlevende familieleden in het betreffende dorp fotograferen.

De plekken kon ik vinden, zigeuners ook. Maar bij het zoeken naar families die aan mijn doel beantwoordden, werd ik keer op keer geconfronteerd met een moeilijk te beschrijven weerstand. De sociologe Zsuzsa Ferge vertelde me dat zigeuners diep van-binnen eigenlijk een hekel hebben aan niet-zigeuners. Dat zou best kunnen; daar hebben ze alle reden toe. Het zou ook kunnen zijn – zoals zo vaak in verband met de holocaust – dat het verleden een taboe is geworden, dat de beschamende vernederingen de herinnering blokkeren. De stilte van de eerste vijftig jaar na de oorlog kan dat taboe nog hebben versterkt.

Eerst benaderde ik een organisatie die zich bezighoudt met scholing van volwassen zigeuners. Dat leek veelbelovend. Ik kreeg een aantal namen van zigeunerstudentes die me konden begeleiden bij mijn zoektocht. Aardige meisjes, maar erg behulpzaam bleken ze niet. Op de laatste studente na; ze woonde in Pécs, ruim tweehonderd kilometer ten zuiden van Boedapest. Met haar ben ik naar het dorp gegaan waar ze vandaan komt, Alsószentmárton, waar uitsluitend zigeuners wonen. Haar ouders zouden rondvragen. Maar... blijkbaar had niemand de oorlog meegemaakt. Dit spoor liep dood.

Informeren bij burgemeesters van kleine gemeenten hielp ook niet: wenkbrauwen gingen omhoog, ze herinnerden zich niets, en meestal werd de vraag gesteld of ik geen interessanter onderwerp kon verzinnen om in Hongarije te fotograferen.

Pas na maanden lukte het me eindelijk iemand te vinden in Szatmárcseke, een dorp waar vrij veel zigeuners wonen. Eerst benaderde ik de oudste vrouw van het dorp, die – naar men zei – een ijzersterk geheugen had. Maar zij kon zich alleen herinneren dat er niets aan de hand was geweest met de zigeuners.

Nu klopt het ook wel dat in deze buurt, het uiterste noord-oostelijke puntje van Hongarije – bijna in Oekraïne –, aan het eind van 1944 niet genoeg tijd restte om veel zigeuners uit te

roeien voordat de Russen het land binnenvielen. Toen bracht de burgemeester me in contact met Károly Mursa, een zigeuner wiens grootvader in de laatste maanden van de oorlog was afgevoerd naar Oekraïne en daar was omgekomen. Hij bracht me bij de enige nog levende zoon van deze grootvader, zijn oom Pál. 'Ha,' dacht ik, 'een beginnetje.' Maar oom Pál wist niet veel meer, hij was vijf toen zijn vader werd weggehaald. Zigeunerjournalisten brachten ook geen soelaas: het was bijna onmogelijk een afspraak met ze te maken. Terwijl ze me hadden verteld dat de mensen misschien niet zouden willen praten, of boos zouden worden, of geld wilden hebben als ik alleen zou gaan. Ik was het met hen eens, voor zo'n beladen onderwerp vertrouwde ik mijn redelijk vloeiende, maar toch lang niet perfecte Hongaars niet genoeg. De journalisten gaven me noch de namen noch de adressen van de mensen die ze op het oog hadden en kwamen ook niet opdagen op de afspraken. Niets lukte.
Medewerkers van officiële instanties wilden wel van alles vertellen (wat al in de boeken stond), maar bleken geen contact te kunnen of willen leggen met mensen die echt iets hadden meegemaakt.

Na twee jaar tobben klaagde ik mijn nood bij Péter Szuhay, die als antropoloog verbonden is aan het Volkenkundig museum in Boedapest en veel van de Hongaarse zigeuners weet. Hij gaf me een paar adressen van mensen die geïnterviewd waren voor een ander project en raadde me aan alleen te gaan. Ik vond het in het begin een beetje eng: zullen ze begrijpen wat ik wil, jagen ze me niet weg? Dat viel alleszins mee. Bijna overal werd ik vriendelijk, soms zelfs hartelijk ontvangen en mocht ik een paar keer terugkomen. Er was wel iets wat me verbaasde: de ouderen wilden tegenover de buitenwereld niet laten weten dat ik was gekomen om hen te fotograferen. Tenzij een van de kinderen toevallig langskwam of aanwezig was, dan was er geen probleem. Maar afspraken maken ging niet: hun familie-leden waren er niet, of ze waren allemaal tegelijk ziek, of het

kon gewoon niet. Het was een scheve verhouding: ik moest iets van hen en zij niets van mij. Wel graag een beetje geld, natuurlijk, dat is logisch: ze zijn oud en arm, hebben vaak pijn door in de oorlog opgelopen kwalen, en dan kom ik eraan, met auto, camera en spullen.

Allerlei cijfers over de hoeveelheid slachtoffers van het nazi-regime doen de ronde, maar officiële gegevens zijn er niet. Wat er in de laatste maanden van 1944 is gebeurd, daarover is nauwelijks iets op schrift gesteld en de weinige documenten die er waren, zijn gedeeltelijk verloren gegaan. In de tientallen jaren van zwijgen na de oorlog zijn vele overlevenden en ooggetuigen gestorven zonder hun getuigenissen door te geven.
Tot vandaag de dag zijn op internet schattingen te vinden (voornamelijk van buitenlandse onderzoekers) van 28.000 à 30.000 slachtoffers van de roma-holocaust. De Hongaarse historicus László Karsai stelt in 1992 in een uitvoerig gedocumenteerde studie betreffende de holocaust in Hongarije het aantal weggevoerde zigeuners op vijfduizend, het aantal vermoorde op duizend. De jurist en socioloog János Bársony houdt het op een veelvoud van dit aantal, maar ook bij hem heb ik geen precieze cijfers kunnen vinden.
Maar onenigheid over het aantal slachtoffers leidt tot niets. Het is belangrijk dat er erkenning komt voor het feit dat, naast de joodse holocaust, de zigeuners een gelijk lot trof. Een proces dat de laatste jaren eindelijk op gang is gekomen. Met deze uitgave hoop ik daar een bijdrage aan te leveren.

Ik ben de mensen die me te woord stonden, die me binnen-lieten, die wilden meewerken en zich hebben laten foto-graferen veel dank verschuldigd. Ik draag dit boek aan hen op.

Jutka Rona

Binnenplaats van Csillageröd (Sterrenfort).

Zigeuner zijn in Hongarije is moeilijk

Het is moeilijk om zigeuner te zijn in Hongarije. Er zijn vele groeperingen in Europa die in vergelijkbaar erbarmelijke omstandigheden verkeren – minderheden, vluchtelingen, asielzoekers, in elk land de 'eigen armen'. Maar het waren de Hongaarse zigeuners die Jutka Rona raakten.

Om te begrijpen hoe het kan dat de lijdensweg van een hele bevolkingsgroep zo onderbelicht is gebleven, zou de hele geschiedenis van de zigeuners verteld moeten worden.
Ik denk dat er ten minste drie redenen voor zijn.
De bevolkingsgroep in kwestie is maatschappelijk zo buiten-gesloten, dat het wel en wee ervan de overige bevolking in het land niet raakt. Er zijn zeker mensen die getroffen waren door het leed van de gedeporteerde zigeuners, of door het bloedbad van 1945 in Várpalota, toen gendarmes of pijlkruisers tweehonderd zigeuners doodschoten in een door henzelf gegraven massagraf. De meesten echter probeerden de ogen te sluiten voor de slachtoffers en degenen die verantwoordelijk waren.
Een tweede reden is de verschrikkelijke armoede van de zigeuners en de beperktheid van hun bronnen. In Hongarije bestaat antisemitisme en er zijn mensen die de holocaust ontkennen. Het is dus bepaald niet zo dat iedereen oprecht rouwt om de meer dan een half miljoen Hongaars-joodse doden van de holocaust. Maar, ook al hadden de Hongaarse overlevenden niet veel kracht meer, de internationale joodse gemeenschap en de met hen sympathiserende talrijke niet-joden zorgden ervoor dat de gebeurtenissen niet vergeten zouden worden. Het bewaren van de herinneringen aan de joodse holocaust gaat al vijfenzestig jaar ononderbroken door. De zigeunerholocaust daarentegen kwam amper twee decennia geleden onder de aandacht. Pas rond 1990 nam de hele wereld er serieus kennis van, ook Hongarije. We zijn dus behoorlijk laat met het verzamelen van feiten met betrekking tot de *porrajmos* ofwel de roma-holocaust.
In verband hiermee speelt ook de derde reden een rol, het analfabetisme. Dit is een ingewikkelde kwestie. Het onvermogen om te kunnen lezen en schrijven kan samenhangen met het leven 'in het nu' van de zigeuners, met hun geheel eigen beleving van het verleden, maar het zou te ver voeren daar-over hier uit te weiden. Zeker is dat het kunnen lezen en schrijven bij de joden een eeuwenoude traditie is die de zigeuners niet kennen. En de betrouwbaarheid van mondeling doorgegeven herinnering wordt met andere maatstaven gemeten dan de geschreven: het mondeling overgeleverde verhaal moet op hetzelfde moment vertaald worden naar het heden. Het is dus niet toevallig dat er weinig concrete sporen, geschreven bewijzen zijn van het verleden.

Buitengesloten, vergeten, ontkend, beroofd – allemaal vormen van leed. Natuurlijk biedt het zigeunerleven meer dan dat. De zigeunercultuur manifesteert zich in een veelheid van artistiek talent – muziek, dans, verhalen, beeldende kunst – , de bij andere groeperingen in onbruik geraakte familiesaamhorigheid en solidariteit, de absolute liefde voor de kinderen, hun onverstoorbare levensblijheid. En toch is de ellende nu nijpender dan die misschien ooit was. Zigeuners sterven weliswaar veel eerder dan niet-zigeuners (een verschil van ruim tien jaar), desondanks neemt hun aantal toe. Terwijl niet-zigeuners steeds minder kinderen nemen, zijn de zigeuners blij met ieder aangekondigd en geboren kind. Het percentage zigeuners binnen de totale bevolking zal nu ongeveer zes à zeven procent zijn, dat wil zeggen dat ze met 500.000 à 700.000 zullen zijn. Bij de kinderen is het percentage hoger, minstens tien procent, en die schatting is aan de lage kant. De door mij hier gehanteerde cijfers zijn niet exact omdat het niet makkelijk te bepalen is wie wel en wie geen zigeuner is. Is eenieder die als zodanig wordt beschouwd zigeuner? Of alleen die zichzelf zo noemt? Die raskenmerken heeft? Die in een zigeunerkamp woont? Van wie één ouder zigeuner is, of alleen van wie beide ouders zigeuner zijn? Die de zigeunertaal spreekt? De realiteit is dat het de samenleving is die bepaalt wie er als zigeuner gezien wordt, wie in deze 'rol' geplaatst wordt. Een collega van me verwerkte de cijfers van een in 1980 begonnen groepsonderzoek, dat gedurende achttien jaar nieuwgeborenen volgde. De onderzoekers noteerden bij de geboorte van de kinderen en vervolgens op hun veertiende jaar of het volgens de maatschappelijk werker om een zigeuner ging of niet. Opmerkelijk genoeg wijken de twee cijfers in grote mate van elkaar af. Wie geboren werd als zigeuner en reeds op zijn veertiende maatschappelijk was afgegleden, dat wil zeggen slecht leerde, wegbleef van school, in ellende leefde met zijn familie, die bleef zigeuner. Dat was ongeveer een derde van de kinderen die bij hun geboorte als zigeuner waren aangemerkt. De kinderen die opgroeiden in geslaagde gezinnen werden op hun veertiende niet meer tot de zigeuners gerekend (ook weer een derde). Maar de plaats van de geslaagden werd ingenomen door andere mislukten, afglijders, slachtoffers van de politieke omwenteling, die vijftien jaar eerder, toen ze nog regelmatig werk en inkomen hadden, niet als zigeuners werden beschouwd.

Ondanks dit gebrek aan eenduidigheid zijn ze allemaal zigeuner – maar zichtbaar zijn in de eerste plaats diegenen die maatschappelijk mislukt zijn. En dat zijn er velen.

In de jaren negentig, toen de staatssocialistische dictatuur in een kapitalistische democratie veranderde, gingen meer dan een miljoen arbeidsplaatsen verloren. De zich moderniserende economie moest niets hebben van laag- en ongeschoolde arbeiders. De werkloosheid steeg tot tien procent, maar van de zigeuners verloor zeventig à tachtig procent zijn werk en vaste inkomen. Tegenwoordig leeft ongeveer twaalf procent van de totale bevolking onder de armoedegrens (volgens de EU-norm), maar bij de zigeuners is dit percentage meer dan de helft hoger. Of anders gezegd: minder dan tien procent van de Hongaarse bevolking is zigeuner, maar ze maken dertig procent uit van de armen en zelfs vijftig procent van de zeer armen. En hun werkloosheid maakt deze armoede bijzonder schrijnend.

Tussen 1970 en 1990 was het merendeel van de zigeuners al een eind op streek met integratie – ze hadden werk, een regelmatig inkomen en de kinderen bezochten de lagere school. Door de politieke omwenteling viel van de ene op de andere dag de bodem onder hun bestaan weg. Het is dan ook geen wonder dat ze hun vertrouwen verloren in de gadjo* ofwel niet-zigeuner, en het is ze niet kwalijk te nemen dat ze probeerden te overleven. Als het ze niet gegund is volgens het gewenste maatschappelijke patroon te leven, proberen ze het op andere manieren – van zwart werken tot het maken van schulden; een minderheid vervalt zelfs tot kleine criminaliteit of het kappen van het bos van de buurman.

Jutka Rona ontmoette de zigeuners in deze nieuwe situatie, toen ze feitelijk net van de maatschappelijke ladder waren gegooid. Het is dan ook een wonder dat ze Jutka's belangstelling en medegevoel• toch hebben geaccepteerd, en dat ze haar over hun diepbegraven verleden hebben verteld.
De laatste jaren is de situatie verslechterd. Zoals de armoede toeneemt met de crisis, zo neemt de haat toe tegen de armen, die zich uitkristalliseert in haat tegen de zigeuners. Er is een ultrarechtse, racistische organisatie opgedoken, die in dorpen of wijken waar zigeuners wonen op militaristische wijze marcheert, dreigt en provoceert. In het afgelopen jaar hebben racisten in zes incidenten onschuldige zigeuners vermoord – onder wie zelfs een zesjarig jongetje.

* Zie begrippenlijst op pagina 126.

Zigeunerleiders stellen alles in het werk om te voorkomen dat zigeuners geweld met geweld beantwoorden. Een van hen, een leraar, citeert Martin Luther King in een brief: 'Maar er is iets wat ik mijn mensen moet zeggen die op de warme drempel staan die ons het paleis van gerechtigheid binnenleidt. Tijdens het verkrijgen van onze rechtmatige plaats moeten we ons niet schuldig maken aan foute daden. We moeten er niet op uit zijn uit dorst voor vrijheid uit de beker van bitterheid en haat te drinken.

We moeten onze strijd voeren vol waardigheid en discipline. We moeten niet toelaten dat ons creatieve protest vervalt in lichamelijk geweld. Steeds weer moeten we reiken naar de majestueuze hoogten waarin lichamelijk geweld wordt tegemoet getreden met de kracht van de ziel.' (uit: *Ik heb een droom*, 1963)

Dit boek van Jutka Rona is niet alleen een memento aan de holocaust, het is tevens een pleidooi tegen de haat. Mijn vurige wens is dat velen deze dubbele intentie zullen begrijpen.

Zsuzsa Ferge,
professor-emeritus sociaal beleid
Boedapest 2010

• Jutka Rona heeft zelf als kind van joodse ouders de holocaust in gedeeltelijke onderduik overleefd.

Zsuzsanna Horváth Torony [Ondód]

"Ik werd op 7 november 1928 geboren in een witgekalkt stenen huis op de heuvel boven Ondód, waar de zigeunermuzikanten woonden. Alle vier mijn grootouders waren hier al meer dan honderd jaar ingeschreven. Uit verhalen weet ik dat mijn vader vóór mijn geboorte in een vast orkest speelde, dat hij avond na avond klokslag zes uur ons kleine huis verliet en met de contrabas op zijn rug door de weilanden naar zijn werk in Szombathely liep, opgedoft, in een wit gesteven overhemd en op zwarte schoenen die door mijn moeder dagelijks glanzend werden opgewreven.
Ik heb alle zes klassen van de gemengde lagere school in Ondód gevolgd. Er was wel eens iemand die spottend 'zigeuner' tegen je zei, maar over het algemeen deed iedereen gewoon. Ook de leraren konden het goed met ons vinden, misschien wel beter dan nu. Onze meester István Török gaf les aan vier klassen tegelijk en we zaten allemaal samen in het zangkoor. Hij leidde een prachtig koor, ik ben zelfs solozangeres geweest. We moesten elke zondag naar de kerk, maar dat vonden we niet erg, want zingen vonden we fijn.

Later, begin jaren veertig, werd een aparte zigeunerschool gesticht, omdat er langzamerhand te veel zigeunerkinderen waren. De zigeunerschool moest ver verwijderd zijn van de school van Torony, 'opdat de kinderen niet samen konden spelen'. Immers, het zigeunerkind 'bracht de morele ontwikkeling, hygiëne en ook de gezondheid van het Hongaarse boerenkind in voortdurend gevaar', had de dorpszaakgelastigde in zijn brief aan het ministerie geschreven.
Na school heb ik een jaar in Dozmat als dienstmeisje gewerkt. Toen ik weer thuiskwam, heb ik samen met mijn vader een contract voor zes maanden getekend bij Pörös. Hij werkte elke zomer op contractbasis op dat landgoed.

Het waren denk ik de magistraten en de rechter die dat najaar het bevel ondertekenden dat wij weggevoerd moesten worden, maar dat wisten we nog niet toen we thuiskwamen van het werk. We wasten ons en gingen naar bed. De volgende ochtend kwamen de gendarmes met twee ambtenaren en werden vader en ik meegenomen. Ze zeiden dat we niet bang hoefden te zijn, ze zouden ons meenemen naar Sárvár om in de suikerfabriek te werken. Nou, daar was ik niet bang voor, werken deed ik mijn hele leven al. Ze pakten overal mannen op die in de vroege ochtend thuiskwamen van het musiceren en lichtten veel dagloners van hun bed. We werden in het schoolgebouw van het buurdorp Torony opgesloten. Kinderen van de pijlkruisers die ons bewaakten zeiden tegen mij en nog een paar meisjes: 'Ze nemen jullie mee naar de gaskamer, daar gaan jullie eraan!' Wij antwoordden: 'Waarom, wat hebben wij gedaan? We hebben niemand iets misdaan! We weten niets van politiek, we zijn kinderen.' In de middag kwam oom Pista, de voorman van Pörös, die gehoord had dat wij in de school van Torony zaten. Hij zei tegen mijn vader: 'Ik kan maar één van jullie redden, niet allebei.'
'Nou,' zei ik, 'neem dan liever vader mee, want thuis heb ik nog vier minderjarige broertjes en zusjes.'
Eerst zaten we met een heleboel lotgenoten in de school, maar later lieten ze een aantal mensen met kleine kinderen vrij. Wij die waren overgebleven, een man of vijfentwintig, moesten te voet naar Szombathely. Daar dreven ze ons een gebouw in waar al mensen uit Szombathely, Körmend en Bük zaten. We moesten daar blijven tot het donker werd. Pas toen brachten ze ons naar de treinwagons. We hadden al door dat ze ons niet naar Sárvár zouden brengen, veel te veel mensen voor werk in de suikerfabriek. Nee, ze hebben ons naar Komárom gebracht, naar Csillageröd,* het

Sterrenfort, het hele stuk zonder eten of drinken. In de wagons was het steenkoud, de wind woei de sneeuw aan alle kanten naar binnen. Daar waren we niet op gekleed en eerlijk gezegd hadden we ook geen winterkleren. Ik droeg alleen een kort jasje en lage schoenen; winterschoenen zouden we gaan kopen als we ons graan hadden verkocht, of het loon van die zes maanden hadden ontvangen.

De reis naar Komárom duurde wel drie dagen, de trein stopte vaak. En ze gaven ons niets. We schreeuwden om water, om eten. Gelukkig hadden we tante Mariska bij ons, die sprak een paar woorden Duits, we werden toen al bewaakt door Duitse soldaten. 'Wasser, Wasser,' smeekte ze. Maar tevergeefs. We kropen allemaal dicht tegen haar aan, ze was een lieve vrouw net als mijn moeder, ook even oud. Al in Szombathely waren de mannen van de vrouwen gescheiden en in aparte wagons gestopt. Toen we in Komárom uitstapten, zagen we dat sommige mannen geen broek meer aanhadden. Ze hadden het in hun broek gedaan en die toen weggegooid. We werden wanhopig toen we ze zo zagen, ze waren er nog erger aan toe dan wij.

Dat kwam doordat de Duitsers paardenworst bij hen naar binnen hadden gegooid en de mannen die er een hadden opgegeten – water was er niet – waren verschrikkelijk ziek geworden. Zonder water was die worst veel te zout, ze kregen afgrijselijke diarree.

Ik kon een paar woorden met een dorpsgenoot wisselen: 'Hoe is het, hoe gaat het met jullie, is er iemand van jullie gestorven?' vroeg hij. Ik zeg: 'Nog niet, maar tante Bözsi is er heel slecht aan toe.'

In Komárom brachten ze ons naar halfondergronds gelegen bunkers. Ook daar was het koud en het zat er vol met luizen. Ze gooiden maisstengels naar binnen om op te liggen, maar wie kan daar nou op liggen? Trouwens, we durfden het ook niet vanwege de luizen. Het was er heel erg, ik zou er dagen over kunnen vertellen maar ik ben veel vergeten. We bleven er ongeveer twee weken, als ik het me goed herinner. De soldaten wierpen brood naar beneden. Wie het kon pakken, had te eten, wie niet, had honger. Beesten behandel je beter. Alsof we het leven of hun iets hadden misdaan.

Nog in Komárom werden we geselecteerd. Degenen die te ziek waren, werden naar huis gestuurd, maar vermoedelijk stierven er nog een heleboel onderweg, ook kinderen. Er was een oláh zigeunerin* met twee baby's. Er waren geen luiers of niks, hun moeder scheurde haar ondergoed in stukken en dat legde ze onder haar kindjes. Ook wij trokken uit wat we konden missen, toch stierven ze. Waar ze de baby's begraven of verbrand hebben, weet ik niet. Hun moeder lieten ze naar huis gaan, die was helemaal kapot van de pijn. Ze is onderweg gestorven, hoorden we.

Ze brachten ons eerst naar Dachau, waar we een nacht bleven. Misschien maar beter, want er was geen plekje meer voor ons over. In Ravensbrück moesten we de wagons uit. Duitse soldaten brachten ons door een bos naar een groot kamp. Daar aangekomen konden we niet meer, we vielen bijna om en we zakten neer op een soort bevroren drinkbakken. Ze hadden ons ook niets behoorlijks te eten gegeven, we waren vel over been. En we hadden het vreselijk koud, we zaten te rillen. We hielden elkaar met zijn vieren of vijven vast om een beetje warm te blijven. Toen waren we nog bijna allemaal samen.

Alles is verloren gegaan in de oorlog. Ik had mijn tasje meegenomen met foto's, een heleboel foto's. Nu is er niets meer, ze hebben alles van ons afgepakt, ze hebben ons helemaal kaalgeplukt. Je moest alles op de grond gooien. De joodse vrouwen hadden goud en koffers en van dat dikke haar, ze huilden en schreeuwden toen dat afgeknipt werd. Alles moest op de grond worden gegooid, op een grote hoop. Verschrikkelijk.

De joden werden ergens anders heengebracht. Wij waren bang dat ze ons in de gaskamer zouden gooien. Maar we werden tewerkgesteld bij de ovens waarin de doden werden verbrand. Er waren drie ovens in Ravensbrück. Wij moesten de doden daarheen slepen. Ze werden eerst in de kelder gegooid, daarvandaan takelden ze de lichamen naar boven en daarvandaan moesten wij ze naar de brandovens slepen. Ze waren stijfbevroren. Het was verschrikkelijk, en het waren er zoveel! Op elkaar op een hoop gegooid. Ze waren vel over been. Ze waren gestorven door gebrek aan eten en door ziektes; ze hebben dagen geleden voordat ze stierven. Je wilt niet weten hoezeer ze geleden hebben! Ook tante Bözsi heeft het niet gehaald. Ze had al een longziekte toen ze ons oppakten, en toen we in Ravensbrück aankwamen was het bijna gebeurd met haar. We hebben haar met zijn vieren in onze armen naar binnen gedragen, de bewakers wilden haar gewoon buiten laten liggen. Tante Bözsi zei: 'Laat me hier maar liggen, kinderen.' Maar dat deden we niet.

Waarom dit moest gebeuren, ik weet het niet! We waren onschuldig. We werden als politieke gevangenen gekwalificeerd, dat stond op onze armband. We moesten het er zelf op naaien: 'politieke gevangene'. Wat wisten wij van politiek? Niets. Nooit in mijn leven heb ik er zelfs aan gedacht. Alleen toen mijn vader iets vertelde over zijn krijgsgevangenschap en over de oorlog hoorde ik wat, maar verder heb ik nooit iets over politiek gehoord. Ik weet niet eens waarvoor de politiek dient.
Het ergst was toen we ons helemaal moesten uitkleden en ze ons kaalschoren. Ze dreven ons naakt de kou in, een soort bad in, en met slangen spoten ze koud water over ons heen. Het was zo vernederend. En dat gegil! We gilden zo hard als we maar konden. En het andere verschrikkelijke was, toen ze ons voor onderzoek meenamen. Van die vrouwenonderzoeken. Daardoor stopten onze bloedingen. Het was onbeschrijflijk pijnlijk! Dat was de allergrootste vernedering.

In Ravensbrück waren we behoorlijk lang, tot het voorjaar. We kregen niet meer dan een piepklein stukje brood, zo groot als een hoef. Wie een beetje kracht had, moest werken, zand laden in lorries. De sterkere jodinnen moesten scheppen. 's Ochtends in het donker namen ze ons mee en 's avonds brachten ze ons terug. Op een gegeven moment brachten ze ons naar een fabriek in Fürstberg, waar we zouden moeten werken, maar die werd gebombardeerd. Toen zijn we gevlucht. Ook de soldaten smeerden hem als de bliksem, met al het eten. Ons gaven ze niets, ze vraten het zelf op. We zijn gevlucht, maar kwamen telkens weer terug op de plek waarvandaan we vertrokken waren! Het lukte ons niet uit die stad weg te komen.
Uiteindelijk kwamen we in een groot bos terecht, waar we gingen liggen in een kuil. We werden wakker door vreemde stemmen die geen Duits spraken, Engelse soldaten. 'Kom,' zei ik, 'laten we naar de grote weg lopen, daar zijn auto's en tanks.' Het was heel moeilijk uit dat bos weg te komen, maar het lukte en de soldaten namen ons mee. Het waren Amerikanen, geen Engelsen, er zaten zelfs zwarten tussen. Ze namen ons mee naar Pilsen en Praag, naar een kazerne. Daar was het goed. We kregen ontbijt, middageten, avondeten en kleren en we konden ons wassen. We konden nauwelijks wachten op al dat heerlijke eten: er was een goede, lieve kok die medelijden met ons had. Hij waarschuwde ons via de tolk dat we niet te veel tegelijk moesten eten want dan zouden we wel eens ziek kunnen worden. Maar we schrokten het naar binnen! Langzaamaan werden we een beetje beter. We mochten elke dag in bad. We waren dol op het badderen. Of het moest of niet, wij gingen in bad. God, wat hebben we veel geleden in het kamp, daar kon je je niet eens wassen!
Toen we in Boedapest op het Nyugati-treinstation aankwamen, namen ze ons mee naar het Rode Kruis. Daar kregen we papieren. Een man uit Tsjechoslowakije had ons met de trein tot aan de grens begeleid, waar hij ons zonder

papieren had overgedragen. Het Rode Kruis vroeg hoe het mogelijk was mensen zo te laten gaan. We moesten nu zelf maar regelen hoe we naar huis reisden. Twee mannen van het Rode Kruis begeleidden ons tot op het perron waar de trein naar Szombathely stond, maar er was geen plaats meer, dus klommen we op het dak van de wagons. Overal waar we stopten werd onze groep op het dak groter. We kwamen aan in Szombathely, waar de mensen met verbazing naar ons keken. Waarom kijken ze zo, vroegen we ons af. 'Hebben jullie nog nooit een mens gezien?!' We liepen verder. We waren al niet meer zo mager en ons haar was een beetje gegroeid. In het kamp werden we telkens weer kaalgeschoren. Toen we ons dorp naderden, renden de jongens, mijn broertjes en iedereen uit het dorp die kon rennen ons tegemoet, want ze hadden gehoord dat we eraan kwamen. We waren dolgelukkig en vroegen: 'Herkennen jullie ons, herkennen jullie ons?' 'Natuurlijk wel, maar waarom zijn jullie kaal!? Waarom hebben jullie geen haar meer!?' Iedereen huilde van blijdschap, helemaal tot aan huis. Het is niet te beschrijven wat voor gevoel dat was! Het was juli toen ik terugkwam, mijn oudere broer kwam in oktober en mijn aanstaande man in november, als ik het me goed herinner. Ik kende hem uit het dorp. En met zijn zuster was ik bevriend, we woonden niet ver van elkaar.

Als ik erover zou willen praten, zouden zelfs twee dagen niet voldoende zijn. We hebben veel geleden en moesten veel vernederingen ondergaan, maar ik heb het overleefd. Hier ben ik en ik leef nog steeds. Aan mijn kinderen heb ik dit allemaal niet verteld. Ik wilde niet dat ze te weten zouden komen hoezeer we geleden hebben. Ze leven goed, ze hebben een woning en werk, dus ik mag niet klagen. Van mijn vier kinderen heeft er nog maar één een zigeuner als wederhelft, dus we zijn nogal gemengd."

Zsuzsanna Horváth, haar man Sándor en
hun zoon Ferenc, die nog bij zijn ouders
woont.

Naast Ferenc – die Feri wordt genoemd –
hebben Zsuzsa en Sanyi nog drie kinderen,
die alle drie getrouwd zijn en zelf weer
kinderen hebben. Zsuzsa geeft op al mijn
vragen welwillend antwoord, maar op de
vraag wanneer de andere kinderen
komen, zegt ze alleen: 'Weet ik niet, ze
komen niet vaak.'

Zsuzsa laat in de slaapkamer zien hoe ze met z'n drieën slapen: Feri in het midden. De poppen op bed zijn van hem.

In het fotoalbum wijst ze de foto's van de kinderen, kleinkinderen en achterklein-kinderen aan en noemt al hun namen. Twee van haar vier kinderen zijn te vroeg geboren, de enige keer dat ze refereert aan de medische proeven in het kamp.

Maanden na mijn eerste bezoek belt
Zsuzsa me onverwacht op: ik mag zondag
komen fotograferen, want haar kleinzoon
László uit Szombathely komt op bezoek
met zijn vrouw Krisztina en hun tweeling
Barnabás en Levente. Zsuzsa vertelt trots
dat haar kleinzoon een goede baan heeft
als automonteur. En Krisztina is wit, dat
wil zeggen: geen zigeuner.

De kinderen kunnen niet van hun vader afblijven. 'Omdat ze hem door de week zo weinig zien, hij werkt altijd,' zegt moeder Krisztina.

László is automonteur bij Mercedes in Szombathely, Krisztina was voor ze de kinderen kreeg kleuterjuf.

In de documentairefilm *Porrajmos* van Ágota Varga heeft de regisseur Zsuzsa, samen met haar vriendin en lotgenote Mária Sárközi, meegenomen naar het Sterrenfort van Komárom. Ze voelt geen wrok jegens hen die een rol hebben gespeeld bij de deportaties. Ze vergeeft ook de pijlkruisers, de dorpelingen en de arme mensen uit de buurt, die verbetering van hun lot hadden verwacht voor hun diensten aan de pijlkruisers. Ze is er trots op dat in hun dorp (Ondód heette toen al Torony) in 1984 de eerste holocaustgedenkplaat werd geplaatst.

Mária Sárközi Torony [Ondód]

"Ik ben in 1929 hier, in Torony, geboren. Ik was, hoe moet ik dat zeggen... een buitenechtelijk kind, net als mijn broertje. Mijn moeder, die ons tweeën in haar eentje heeft grootgebracht, is daarna nog vijf keer zwanger geraakt.

Ze nam ons mee als ze ging werken, schoffelen en rapen steken, we deden van alles buiten op de velden. Overal gingen we mee naartoe. We leefden heel armoedig. Er was niemand anders dan mijn moeder die geld voor ons kon verdienen, want de man die haar zwanger had gemaakt, liet haar in de steek.

Mijn moeder nam alles aan. De rijke boeren uit het dorp hadden land in de heuvels, daar kreeg ze werk en ze betaalden haar met etenswaren.

Vroeger woonden hier net zoveel zigeuners als nu. Maar toen waren de meesten muzikant. Nu musiceert er geen een meer. Muzikanten verdienden veel geld, zigeuners die niet musiceerden hadden niets.

Ik heb lagere school gehad. Pas daarna ging ik met mijn moeder mee om te werken. Op school leerden we schrijven op een leitje, en ze gaven ons ook boeken. En een priester gaf me een jas. Hier in Ondód waren twee scholen, de mijne was beneden in het dorp. In Torony was nog een school. Op alle drie de scholen zaten de zigeunerkinderen samen met de boerenkinderen. Het was niet belangrijk of je zus of zo was.

Maar in de herfst van 1944 ontstond er wel een onderscheid, dat kwam doordat er zoveel pijlkruisers waren.

Toen we op een dag thuiskwamen van het werk zeiden ze dat we mee moesten om te werken. Ze brachten ons de heuvel af, naar de school die nu kleuterschool is. Daar zaten we eerst een hele dag, zonder eten of drinken. 's Avonds hebben ze ons meegenomen naar Szombathely. Daar dreven de gendarmes ons het station in.

Dat alles gebeurde in het donker, zodat niemand zou weten waar ze ons heenbrachten.

De zigeuners die niet opgepakt werden, vertelden later dat ze zich hadden verstopt voor de pijlkruisers. Er woonden hier vroeger ook veel joden, die hielden zich verborgen in de bunkers, in het bos. Wat hebben die arme joden toch geleden! Gelukkig waren er ook mensen die hen lieten onderduiken.

Van ons zevenen thuis hebben ze alleen mij weggehaald. Oom Sanyi [de voorman van het Pörös-landgoed] zei ook: 'Marika, het is beter als jij meegaat.' Ik was veertien jaar. Mijn broertjes en zusjes waren nog te klein, twee, drie jaar oud. In het kamp zei ik altijd: 'Mijn god, kon ik nu maar opeten wat ik bij het voeren van een kleintje morste.'

Ze dreven uit veel dorpen mensen samen. Op het station mochten we niet met elkaar praten. Overal stonden gendarmes naast de wagons. Eerst zeiden ze dat we naar Sárvár zouden gaan om in de suikerfabriek te werken. Maar we reden Sárvár voorbij, dat zagen we door de spleten in de wagons.

We kwamen 's avonds in het donker in Komárom aan. Daar moesten we uitstappen. Ze brachten ons naar een kelder waar we op de grond gingen liggen. We bleven er ongeveer een week. Vandaar brachten ze ons naar Duitsland. Toen we daar aankwamen, zagen we joden die in gestreepte kleren liepen.

We bleven twee dagen in Taha – iedereen zegt Dachau, alleen ik zeg Taha.

Daarvandaan gingen we verder, totdat we in Auschwitz aankwamen. Ze brachten ons naar de plek waar de doden werden verbrand. Zodra we aankwamen, roken we het. Ze sleepten de lijken naar één plek.

Van alles zat daar in Auschwitz bij elkaar, Duitsers, zigeuners, Polen, Roemenen, allerlei soorten mensen. Ze brachten ons naar de plek waar de lijken lagen. Tante Mariska, die tegenover ons woonde, gooide haar jas over ons hoofd, zodat wij de lijken niet zouden zien. Ze zei: 'Niet naar die kant gluren, blijf deze kant op kijken!' Toen begrepen we op wat voor plek ze ons gebracht hadden.

We zijn erg lang in Auschwitz gebleven. Het waren geen soldaten, maar vrouwen die ons bewaakten. Wat sloegen die ons hard met hun gummistokken! Vroeg in de ochtend schreeuwden ze al keihard: *Aufstehen, aufstehen,* opstaan! En toen ze ons naar buiten dreven, riepen ze: *los, los, los,* dat betekende dat we moesten opschieten. Buiten, het zal vier of vijf uur geweest zijn, moesten we staan, in de sneeuw, tot tien of elf uur. Handige vrouwen hadden van vodden, zakken en papier iets gemaakt voor hun voeten.

We stonden daar net zolang totdat we werden afgeroepen. De barakken noemden ze blokken. Wie afgeroepen was, mocht weer naar binnen, haar blok in. Als er één ontbrak, mocht niemand naar binnen totdat ze haar vonden. Ook wie halfdood was moest staan. We hebben heel erg geleden. Er waren artsen die ons mee naar binnen namen. 'Ga op de tafel liggen,' zeiden ze en dan gaven ze een injectie, waardoor het bloeden ophield. Van dat soort injecties gaven ze daar, we dachten dat we doodgingen van de pijn! In Auschwitz heb ik de hele tijd tegen mezelf gezegd: 'Ik mag niet moedeloos worden, want dan kom ik hier niet meer uit.'

Er was een hoog hek om het kamp en overal waren soldaten. Er zijn heel veel mensen tegen dat hek doodgegaan! Die wilden ontsnappen, maar de elektrische stroom sloeg hen dood. Ach, mijn kinderen, wat hebben we geleden, net als Christus aan het kruis!

We hadden niet te eten en die arme joden, mijn god, die lagen doodziek in hoge bedden boven elkaar. De ramen van hun barakken waren gebroken. Wat huilden en kreunden ze! Ik ging naar zo'n raam en de mensen, die zelfs het beetje brood dat ze kregen niet meer konden opeten, gooiden het door het raam naar beneden, voor ons. Wat hebben die ook verschrikkelijk geleden.

Uit Auschwitz zijn we ontsnapt. De Duitsers sloten ons op in een schuur toen ze hals over kop vertrokken, en lieten ons daar achter. We hebben toen de deur van de schuur eruit gebroken en zijn op pad gegaan. We waren met de twaalf mensen van Torony die nog over waren, en nog een paar anderen. De schuur stond bij een dennenbos en daar gingen we naartoe, we waren bang dat ze ons op open veld door het hoofd zouden schieten. We probeerden steeds in bossen te blijven en in schuren te kruipen, zodat de soldaten ons niet te pakken zouden krijgen. We liepen in de richting van Tsjechoslowakije. We hadden zo'n honger, dat we onderweg zuring plukten die we rauw opaten.

Nog in Duitsland kwamen we bij een prachtig, groot huis, een boerderij. Binnen zaten Duitse soldaten. We waren bang voor ze, hun soldatenschoenen bonkten zo. De soldaat die eraan kwam zei: '*Was ist?*' Ik antwoordde: 'We komen uit een kamp, *fünf Tag nix essen.*' En zie wat een wonder: '*Na komm,* laten we naar binnengaan,' zei hij. Op een lange tafel stonden grote pannen vol met in de schil gekookte aardappelen, het brood was geroosterd. Ik kreeg brood en aardappelen. Ik ging ermee naar buiten en zag dat ik alleen was, de anderen waren weggelopen uit angst dat ze zouden worden opgepakt. Ik ging naar ze toe en heb alles verdeeld.

Later kwamen we weer langs een groot huis waar de eigenaar bij het hek stond. Toen we vertelden dat we van het kamp kwamen, zei hij meteen dat we binnen moesten komen. Hij gaf ons koffie met warme melk en hij sneed brood, we kregen meer dan voldoende te eten. En hij zocht schoenen voor me, want van die versleten vodden aan mijn voeten had ik blaren gekregen. We gingen weer verder en bleven voortdurend door de bossen lopen. Vlak bij een dorp – we gingen het dorp niet in – stond een molen. Daar vertelden we weer waar we vandaan kwamen. Ze hadden erg veel medelijden met ons. Ze bakten grote broden die ze voor ons aansneden en ze zetten melk op tafel. Ik zei tegen een van de mensen uit Torony, tegen Zsuzsi: 'Luister eens, we zouden een van de pannen moeten jatten, dan kunnen we onderweg koken!' En dat deden we, we wasten de pan bij de beek, en we kookten erin. Zuring die we op een weiland plukten. En aardappels die aan de rand van het bos geplant waren. Zo'n honger hadden we.

Toen we in Tsjechoslowakije aankwamen, in Pilsen, hebben de Amerikanen ons opgevangen. We kwamen in een kazerne bij soldaten terecht. Ze gaven ons te eten.

We zijn daar een week of twee gebleven. Toen kwam het Rode Kruis. Ze vroegen onze namen en schreven die op een papier. Ze zeiden dat we een bericht naar huis konden sturen. Toen ik thuis was gekomen, kreeg ik mijn eigen brief in handen. Ik had geschreven dat ik in leven was en naar huis kwam en dat we elkaar gauw zouden weerzien. Ik ben een maand eerder thuisgekomen dan de brief.

Van Pilsen hebben de Amerikanen ons naar Praag gebracht, daarvandaan zijn we toen per trein richting huis, tot Pest, gekomen. Daarna reisden we op het dak van een trein-wagon tot Szombathely en daarvandaan gingen we te voet naar Torony.

Thuis wisten ze niet dat we eraan kwamen, maar Lajcsi, de jongen die voor blikslager leerde, kwam ons tegemoet en hij bracht het nieuws naar Torony – hij was eerder thuis, want hij was op de fiets. We kwamen aanlopen over het grasland en de mensen renden naar ons toe en alle boeren stonden buiten vóór hun huis. De zigeuners en de andere mensen uit het dorp die hier waren gebleven wisten niet waarheen we weggevoerd waren. Niemand wist het. Ik heb het ze verteld. Mijn moeder was toen niet thuis, ze was naar Zala om kleren voor eten te ruilen. Toen ze thuiskwam, zei ze dat ze had gehoord dat de zigeuners van Torony zojuist van de trein waren gestapt. Ze was daarom liever thuis-gebleven, maar ze moest wel naar Zala om een beetje eten te bemachtigen.

Mijn grootmoeder die ons had opgevoed, zei toen ze me zag: 'Ik heb God gebeden om jou terug te mogen zien. Nu ik je gezien heb, mag ik sterven.'"

Mária Sárközi woont in Torony, in een groot huis, hoog op de heuvel waar de zigeuners wonen. Ze ontvangt me in de keuken, die eruitziet alsof ze de hele ochtend heeft staan poetsen. Tante Marika – zoals iedereen haar noemt – legt uit dat ze geen geld heeft om eten te kopen en dus de keuken eigenlijk niet gebruikt. Ze woont bij haar dochter en schoonzoon, die nu aan het werk zijn.

Mária Sárközi.

Kleindochter Mercedes, die naast haar woont, komt even langs.

Achterkleindochtertje Fanni.

Kleinzoon Márió met Fanni.

Kleindochter Jennifer speelt met achterkleinzoon Péter.

Van Tante Marika mag ik naar hartenlust fotograferen.

Márió en Jennifer wonen ook hier, met hun oma; de kleintjes wonen een straat verder.

Tante Marika wil me geld geven voor de foto's, maar gaat weer zitten als ik zeg dat dat niet nodig is.

Tante Marika wil heel graag een foto van haar en het huis waar ze woont.

Aranka Bogdán Bicsérd

"Mijn familie trok tot 1930 nog rond. Ze verdienden de kost met daglonerswerk en zo nu en dan verhandelden ze paarden. Maar vanaf 1930, toen we in Nagybicsérd gingen wonen in de leemgroeve aan de rand van het dorp, op het terrein van de baksteenfabrikant Sándor Krausz, werkten ze geregeld voor rijke boeren. We woonden daar met nog vier gezinnen: dat van mijn grootvader en van de broer en zusters van mijn vader. Ik werd op 24 juni 1932 geboren, tien jaar na mijn broer Kálmán. We kregen nog vijf broertjes en zusjes. Later heeft mijn vader een lapje grond gekocht, waarop we een woning bouwden met een kamer en een keuken.

We noemen onszelf Kolompár-zigeuners*, we spreken de zigeunertaal. Mijn kinderen spreken het nog, mijn klein-kinderen niet meer. Begrafenis, trouwerij en doop gaan bij ons net als bij de Hongaren. Maar de priester hier doopt geen kind van ouders die niet getrouwd zijn. Daarom is geen van mijn vier achterkleinkinderen gedoopt.

Mijn grootvader heette István Kolompár, mijn grootmoeder Mária Kolompár, ze zijn allebei hier in Bicsérd geboren. Mijn vader heette János Kolompár, mijn moeder Rozália Bogdán. We waren met zijn zevenen, maar in Komárom is de allerjongste, ons zusje Ilona, gestorven. Daarna waren we met zijn zessen, twee zijn nu al dood. We heten Bogdán en niet Kolompár, omdat onze ouders niet getrouwd waren en we geregistreerd werden op naam van onze moeder.

We waren erg arm. We hadden geen schoenen, maar we gingen toch naar school, op blote voeten. Er was maar één meester, de schooldirecteur, die gaf les aan zes klassen tegelijk. De school was naast de kerk. Mijn zusje Erzsébet en ik waren de eerste zigeunerkinderen die naar school gingen en eerste communie deden.

Terug uit Komárom kwamen we bij de Hongaarse kinderen in de klas te zitten, niet apart. En de directeur had voor elkaar gekregen dat we ook middageten en het tien-uur-hapje kregen, net als zij.

Mijn vader en moeder werkten op het land en na school gingen we ze helpen. In de winter was er geen werk, dan leefden we van wat we in de zomer hadden verdiend. Dat was moeilijk, want de boeren betaalden ons meestal met etenswaren of gebruikte kleren en meubilair, bijna nooit met geld. Soms slachtten ze een varken en gaven ons daar iets van.

Mijn vader, János Kolompár, was de zigeunerrechter, na István Kolompár, mijn grootvader. De gendarmes kwamen altijd bij hem als de zigeuners rottigheid hadden uitgehaald. Dat gebeurde zelden, want we waren erg solidair met elkaar. Hij maakte met niemand ruzie, van geen enkel gezin zei hij iets lelijks.

In 1942 werden mijn vader en mijn oom samen met andere mannen uit het dorp meegenomen voor de arbeidsdienst. En in 1944 werden mijn vader en mijn oom weer vrij-gesteld, want ze moesten in militaire dienst, samen met mijn broer Kálmán.

Ik zat in de zesde klas toen de gendarmes ons kwamen halen, ergens in het najaar van 1944. 'Ons' dat waren ik, mijn moeder, mijn grootouders van vaderskant, mijn intussen afgezwaaide broer en zijn vrouw en mijn andere broers en zusters. Het was koud, herinner ik me. De hulpgendarmes kwamen met paardenkarren, het waren mensen uit het dorp: Vince Vellás, József Turcsi, János of József Korp. Ze kwamen heel vroeg in de ochtend. We moesten onze spullen inpakken en op de kar klimmen, en zo gingen we naar het volgende dorp. Ze zeiden niet waar

41

we heen gingen. We zaten met z'n allen samengepakt op drie karren. Ze brachten ons naar het getto in Pécs, voorbij het stationnetje. Naar een soort stallen. De gendarmes reden op paarden en wij liepen ernaast, zo begeleidden ze ons. We bleven een nacht in het getto, met alleen maar zigeuners. In de ochtend moesten we teruglopen naar het kleine station, de hulpgendarmes begeleidden ons weer te paard en op het station hebben ze ons in de wagons gezet naar Komárom.

Ze vervoerden ons per goederentrein, we kregen geen eten of drinken. Ik weet niet waar de trein tussendoor stopte, maar mensen gooiden salami en brood de wagons in. Ik kreeg een salami en een beetje brood te pakken. Toen we Komárom naderden, hoorden we luid geruis: de Donau. Mijn moeder zei: 'Nou meisjes, hier sterven we, daar gaan ze ons in gooien!' En daar waren de gendarmes, de soldaten, die al op ons wachtten. Ze brachten ons naar een gewelfde bunker met drie deuren. Meer naar achteren was nog een bunker, daarin zaten de joden. De volgende dag kwamen twee officieren vragen wie er kinderen had. Die werden apart geplaatst. Wie een gezin had, werd naar Duitsland getransporteerd. De tieners werden er ook uitgehaald, dat deden ze in de avond. Mijn vader namen ze mee naar de Mecsek om bomen te kappen, daarvandaan brachten ze hem met andere zigeuners over naar Mohács om als dwang-arbeider bunkers te graven. In Komárom zaten Duitsers, joden, Hongaren, zigeuners, van alles bij elkaar. Ze stopten ons met de hele familie in een bunker, ook met mijn neef András Kő en zijn familie.

In het kamp aten we soep, water met gefruit meel en kummel. De soldaten gooiden soms een homp brood op, wie kon ving het. Ik was handig, het lukte mij altijd. Om water te krijgen deden de kinderen hun riem af en bonden die om een emmer of aan de oren van een pan. Die trokken we dan vol water omhoog uit de put. Wassen was er niet bij: zoals we weggegaan zijn, zo zijn we thuisgekomen.

Naar de wc konden we ook niet, iedereen deed zijn behoefte waar ie kon. Alles zat vol met menselijke stront. En er waren een hoop doden. Ze gingen dood van de honger, of ze werden ziek en stierven. Er waren kleine kinderen, nog aan de borst, twee, drie jaar oud, die stakkers zijn allemaal gestorven. En een vrouw, ik weet niet waarvandaan, lag op sterven, ze was al oud. Haar schoondochter was erbij maar die kon niets voor haar doen. We mochten toen net naar huis en we hebben die vrouw daar achter moeten laten, nog in leven. We konden niet anders! Mijn zusje is ook gestorven, anderhalf jaar oud. Ze droeg nog luiers en was aan de borst. We moesten haar kleine lichaampje daar achterlaten, in de open lucht vóór de bunkers. Daar werden de lijken verzameld, in een gammel schuurtje. Godzijdank hebben we geen enkele besmetting opgelopen in het Sterrenfort, misschien omdat we daar niet al te lang zijn geweest. Ik was toen twaalf. Ik hield het vol omdat ik gewoon geen andere keus had. Gelukkig had mijn moeder wat kleren meegegrist toen ze ons oppakten. Die hebben we in lappen gescheurd en om onze voeten gewikkeld. Mijn grootvader werd van Komárom naar Dachau gedeporteerd, waar hij is doodgegaan. Mijn broer en mijn schoonzuster werden ook naar Dachau gebracht, Kálmán werd daar tewerkgesteld en mijn schoonzuster werd eerst vandaar naar Berlijn en later naar Bergen-Belsen gebracht. Ze overleefde het concentratiekamp. We dachten eerst dat Kálmán gestorven was. Maar toen hoorden we dat hij in leven was. Een jaar later kwam hij thuis.

Ik praat hier niet graag over. Waarom zou ik, het is beter om het voorgoed te vergeten.

Na twee of drie maanden lieten ze ons naar huis gaan. Een vrouw en een man kwamen naar buiten met een stuk papier waarop stond dat Szálasi* had gezegd dat de moeders met kinderen naar huis mochten gaan. Daardoor begrepen we dat de bevrijders naderden. Maar het was toen al middag.

Waar moesten we heen? Iedereen probeerde zo snel mogelijk weg te komen. Het kostte twee dagen om al die mensen uit de bunkers te krijgen. We zijn toen naar het station gegaan. Daar kwamen soldaten zeggen dat we moesten instappen. We stapten in de wagons, maar daar joegen ze ons weer uit. We gingen de wachtruimte in en de stationschef kwam en zei: 'Blijf nu maar zitten, maar als de trein komt moeten jullie rustig weggaan.' Ze stuurden ons overal weg, we waren met te veel. En we waren vuil, hadden luizen en liepen in vodden.

We vertrokken te voet en kwamen op de tweede dag, na meer dan zeventig kilometer lopen, 's avonds in Székesfehérvár aan. We gingen daar weer naar de stationswachtkamer, maar omdat er nog geen trein kwam, zijn mijn moeder en ik naar de markt gegaan om wat te eten te kopen. We hadden nog een beetje geld, dagloon dat mijn moeder had verstopt. Zodra de trein kwam, klommen de jongeren er bovenop. Die waren eerder thuis dan wij. Wij moesten nog hele einden lopen.

Toen we bijna thuis waren, waren de Duitse soldaten er nog. We kwamen over het land aangelopen en zij kwamen te paard achter ons aan. Mijn moeder zei: 'Nu gaan ze ons door het hoofd schieten.' Een soldaat vroeg, natuurlijk in het Duits: 'Waar gaan jullie naartoe?' Mijn moeder antwoordde in het Hongaars: 'We gaan naar huis, naar huis.'

Het is alsof het gisteren is gebeurd.

Het was al avond toen we thuiskwamen. De grond, het water, alles was bevroren. Er was geen elektriciteit, geen lamp, niets. De boeren hadden alles uit onze hut weggehaald. Alleen de vier muren stonden er nog. En we konden niet eens de deur uit, we kregen voortdurend diarree zodra we iets aten.

Toen we een dag of drie terug waren, kwamen de Russen het dorp in. Ze wisten wat er met ons was gebeurd en deden ons geen kwaad. 'Arme zigeuners,' zeiden ze. Er waren ook wat oudere kinderen bij, die voor ons op de mondharmonica speelden. Maar in het dorp wist lang niet iedereen wat we hadden meegemaakt. We waren vroeg in de ochtend opgepakt en diegenen die per trein naar Pécs gingen om te werken hadden ons kunnen zien, maar anderen niet, de boeren bijvoorbeeld, want die waren niet gewend zo vroeg aan het werk te gaan. 'Waar waren jullie, wat hebben ze met jullie gedaan?' vroegen ze toen we terugkwamen. De dorpelingen hebben ons niet geholpen. We moesten gaan bedelen bij de mensen bij wie we vroeger altijd hadden gewerkt. Het is toch wel raar dat de boeren voor wie we als dagloners gewerkt hadden ons helemaal niet geholpen hebben. We hebben zelfs voor de gemeente gewerkt, weet u wat we gedaan hebben? We plukten vlas met onze blote handen, in de brandende hitte, en bonden het samen. Ons hele gezin was daar aan het werk en toch werden we niet gerespecteerd.

Ik kon nog lang na onze thuiskomst niet naar school, ik had er de kracht niet voor. We waren zo zwak, dat we nauwelijks konden lopen. Mijn moeder begon langzaamaan, toen ze weer op krachten kwam, voor ons te koken. Ik kreeg steeds diarree. Toen dat over was ging ik weer naar school, tot en met de zesde klas. Daarna ging ik samen met mijn vader in dagloon werken tot ik op mijn achttiende met een zigeuner uit Bicsérd trouwde. [Toen meer dan vijftig jaar geleden de Landbouw-Coöperatie (LC) werd opgericht zijn de twee dorpen Nagybicsérd en Kisbicsérd samengevoegd tot Bicsérd, JR.] Hij heette Dezső Kolompár, maar behoorde tot een andere familie. We bouwden voor onszelf een hutje in de zigeunerkolonie. Van deze man is mijn dochter Mária, geboren in 1949. Mijn tweede kind is geboren in 1954, maar van een andere man. De kinderen kwamen achter elkaar. Ik heb zes kinderen gekregen van wie er een gestorven is toen hij zeventien was. Mijn man is al lang dood. Hij was ziekelijk, maar toch kwam zijn dood onverwacht. Tien jaar later is mijn dochter gestorven, ze

liet twee kinderen achter. Ze had een landje met wat suiker-
bieten. Op een dag zegt ze tegen me: 'Moeder, morgen ga
ik op het veldje werken, ik neem een vrije dag op.' Ik zeg
tegen haar: 'Kind, daar moet je geen hele dag voor vrij
nemen, ik zal je wel helpen!' Maar ze deed het toch. Het
was zo heet dat ze alleen haar badpak aan had. Na het werk
ging ze naar huis, stak een sigaret op, at wat en werd onwel.
Ze stierf aan een hartaanval, zevenendertig jaar oud. In
juni is het tien jaar geleden. Na de dood van hun moeder
zijn haar kinderen bij hun vader gebleven. Ze zijn nu allebei
getrouwd.

Mijn tweede man werkte in Pécs toen we trouwden. Ik zei
tegen hem: 'Ik ga bij de LC werken, dat wordt beter betaald!'
We werkten op het land, maar er was een tekort op het
varkensdepot, toen hebben ze me daarvoor gevraagd. Zelf
hielden we ook varkens.

Het verdelen van het land ging zo: ze zeiden dat iedereen
die wilde er aanspraak op kon maken. We meldden ons
aan, maar we kregen niets. Volgens mij omdat we niet in
iets gemeenschappelijks konden deelnemen, want we hadden
niets. De dienstmeisjes van de grote hofstede hier hebben
wel land gekregen. We verdienden nog minder dan nu,
maar konden er beter van leven; het geld was meer waard
dan nu. Na vijfentwintig jaar LC ben ik met pensioen
gegaan. Mijn pensioen is, samen met het weduwepensioen,
64.000 Huf per maand [ongeveer € 230, JR]. Ik heb altijd
hier gewoond, ik heb er nooit aan gedacht om weg te gaan.
Ik heb hier geen enkele moeite met de boeren. Maar wat
me pijn doet is dat de een veel krijgt en de ander helemaal
niets. Ik heb een aantal jaren geleden mijn aanspraak op
schadeloosstelling ingediend. Tevergeefs, ze hebben me
zelfs geen antwoord gestuurd. Ik heb geen cent schadevergoeding gekregen! En iemand die niet eens is weggehaald
heeft toch geld gekregen."

Als ik in Bicsérd op zoek ga naar Aranka Bogdán, blijkt ze al enige tijd in het verzorgingshuis in Szentlőrinc te wonen. Hoewel ik onaangekondigd kom en ze me niet kent, ontvangt ze me hartelijk. Zittend op haar bed in de kamer, die ze deelt met drie andere dames, praat ze al snel honderduit. Ze lijkt trots dat ze bezoek heeft en stelt me aan allerlei mensen voor.

Aranka's buurman uit de kamer naast de hare komt even langs, 'Niemand mag het weten, maar hij is mijn vriendje,' vertrouwt ze me fluisterend toe. Hij drukt me herhaaldelijk op het hart goed op haar prachtige ogen te letten.

Aranka en een huisgenote met wie ze bevriend is en die ze bemoedert en rondcommandeert.

Ik mag alles in het huis fotograferen. Zelf houdt ze de camera voortdurend goed in de gaten. Ze eet nauwelijks om maar geen foto te missen.

De mooie kamer van het tehuis, de ontvangstkamer.

Bij de gymnastiekles verslapt haar aandacht voor de camera.

Bij mijn volgende bezoek zullen we naar haar dochter in Bicsérd gaan en naar Aranka's vroegere huis. Ik moet bellen voor ik kom, zodat ze eerst kan schoonmaken en opruimen. Een lastige klus, want ik had al gezien dat de deuren en enkele ramen van het huis zijn dichtgemetseld. De afspraak gaat dan ook niet door: haar dochter is ziek en het huis is een ruïne. Als ik een andere keer kan komen is misschien haar dochter beter en kunnen we naar de begraafplaats gaan.

Een paar maanden later bel ik weer, maar ze heeft geen tijd: ze moet de volgende dag naar de begrafenis van haar schoonzoon, in Bicsérd. Ze verbiedt me met boze stem naar de begrafenis te komen en verbreekt de verbinding. Met angst in het hart ga ik toch, ik verwacht op zijn minst woedende familieleden. Ik kom zo vroeg dat het graf nog niet helemaal is uitgegraven.

Zodra Aranka op de begraafplaats aankomt en me ziet, wenkt ze me. Gedurende de hele ceremonie houdt ze zich afzijdig van de familie, waarom weet ik niet. Steeds staat ze half achter een boom, of kleintjes tussen de vele aanwezigen.

Terwijl de kist naar het graf wordt gedragen, waar ik met de camera paraat sta, gebaart en wenkt ze vanachter een boom dat ik naar haar toe moet komen. Dat doe ik niet.

Na de begrafenis komt ze naast me lopen, toont me het graf van haar gestorven dochter en houdt me aan de praat, terwijl ze intussen steeds onrustig om zich heen kijkt. Daarna moet en zal ze me naar mijn auto begeleiden. Het is duidelijk dat ze tot elke prijs wil voorkomen dat de familie en ik contact met elkaar hebben.

Maanden na de begrafenis van haar schoonzoon bezoek ik Aranka opnieuw. Na dit laatste bezoek wuift ze me nog lang na.

András Kő Zók

"Ik ben in 1940 in Kisbicsérd geboren. Ik weet niet wanneer mijn ouders daar terechtgekomen zijn, oorspronkelijk waren ze rondtrekkende zigeuners. 's Ochtends sloegen ze hun tent op en 's avonds trokken ze weer verder. Vijf, zes families zwierven toen samen. Volgens mij trokken ze rond omdat ze geen plek hadden waar ze konden blijven. Ze kwamen ergens aan en kregen een vergunning – denk ik – óf ze gingen verder. Als ze een vestigingsvergunning kregen, bouwden ze hutten om in te wonen. Ze legden houten planken tegen elkaar en daaromheen ging stro, steeds hoger en hoger. Daarna smeerden ze er leem op en verfden ze het met witkalk. Het dak was van stro en lekte als een mandje. Zo'n hut bestond uit een kamer van vier bij vier meter, verder niets. Toen ik in 1955 trouwde, heb ik voor mezelf in de zigeunerkolonie een hut gemaakt met een pannendak, niet van stro.

De kolonie lag in Kisbicsérd, niet ver van het dorp. We woonden daar met een heleboel families, wel twintig of meer, die allemaal op de een of andere manier aan elkaar verwant waren. Ik ben in het huis, of eigenlijk de hut, van mijn grootvader opgegroeid.

Mijn vader heb ik nooit gekend. Alles wat ik van hem weet, is dat hij uit Szentlőrinc kwam, ik ken zijn roepnaam niet eens. Hij is opnieuw getrouwd, ik heb halfbroers en half-zusters, maar we hebben geen contact. Mijn moeder was heel jong toen ze uit elkaar gingen maar is na hun scheiding niet meer getrouwd. Wij drieën, mijn twee zussen en ik, zijn door mijn grootmoeder en mijn moeder grootgebracht. Mijn grootvader van moederskant, István Kolompár, was de zigeunerrechter van Nagybicsérd. Vroeger waren er geen burgemeesters maar rechters. Als er uit het dorp iets verdwenen was of als er iets mis was, zochten de gendarmes meteen mijn grootvader op om te vragen of hij er iets van

wist. Mijn grootvader was de baas. Hij heeft nooit achter slot en grendel gezeten, niemand uit mijn familie is ooit in de gevangenis geweest. Andere zigeuners wel, als ze gevochten hadden, of gestolen. De zigeuners hier gingen niet echt uit stelen, want ze werkten bij de boeren. Alleen wie niet van werken hield, ging stelen.

Ik weet niet hoeveel broers en zusters mijn grootvader had, hoe zou ik dat moeten weten! Ik weet wel dat hij naar Duitsland is weggevoerd, naar het kamp, en daar is gestorven. Laatst zei iemand op de tv dat de Duitsers ze wegvoerden, in gaskamers stopten, de gaskraan opendraaiden en ze zo hebben verbrand. Het is zeker dat mijn grootvader ook zo aan zijn eind is gekomen, in 1944 of '45, nadat ze ons naar Komárom hadden weggevoerd, naar het Sterrenfort.

Wij zijn Kolompárzigeuners, we spreken de zigeunertaal. We hadden vroeger geen beroep. Sommigen deden wel wat, handelden een beetje in paarden, werkten in het dorp, of gingen bedelen, daar leefden ze van.

Ik ging niet naar school, daar was geen geld voor. School was toen nog niet verplicht. Mijn moeder onderhield ons van wat ze als dagloner bij de Hongaren verdiende. De Hongaarse vrouwen mochten haar en wilden graag dat ze bij hen kwam werken. Ook mijn grootvader werd gerespecteerd, maar er leeft niemand meer die over hem kan vertellen.

Vroeger had je geen dorsmachines. Mijn grootvader en mijn oom oogstten de tarwe en de gerst met de hand. Wat ze daarvan mochten houden, verkochten ze of ze lieten het malen in de molen, dan hadden ze te eten. In de winter kapten ze bomen voor de boeren. Wie geen werk kreeg, ging bedelen, wat moest je anders?!

In 1950 zijn Kisbicsérd en Nagybicsérd samengevoegd tot Bicsérd. De zigeunerkolonie, die in Kisbicsérd lag, was toen al opgedoekt, omdat de zigeuners die thuiskwamen uit Komárom van de rechter niet terug mochten naar Kisbicsérd. Zodoende kwamen ze in Nagybicsérd terecht. De zigeuners kregen ook geen grond toen de wet op de grondverdeling kwam. Want waarom zou je grond geven aan zigeuners?

Ik was pas vier, maar ik kan me precies herinneren hoe ze ons naar Komárom hebben gebracht, wat daar gebeurde, en hoe we weer thuis zijn gekomen. Ik weet niet welke dag het was. Ik herinner me wel dat ze ons heel vroeg in de ochtend met een paardenkar ophaalden en naar Pécs brachten. Daar stopten ze ons in een treinwagon naar Komárom, naar het verzamelkamp. Het waren mensen van ons eigen dorp, van Bicsérd, die ons oppakten en wegvoerden, van die hulpgendarmes. In Komárom werden we bewaakt door Duitsers, die stopten ons in bunkers. Mijn moeder, Rozália Kolompár, was erbij, maar mijn tante Rozália Kolompár niet, want die woonde in Szárazd en daarvandaan hebben ze geen zigeuners meegenomen. Van mijn familie zijn verder weggevoerd: mijn grootvader, mijn grootmoeder, ik, mijn broer en nog een vrouw. Mijn grootvader is niet teruggekomen. Mijn oom Kálmán Kolompár en zijn vrouw Aranka Bogdán zijn ook in Duitsland gestorven. Mijn grootmoeder niet, haar hebben ze alleen naar Komárom gebracht.

Mijn andere oom vertelde dat er in het kamp veel mensen stierven, en dat hij hun lichamen moest wegbrengen. Op hun benen stond de letter C en hun naam. [Waarschijnlijk C van *cigány*, Hongaars voor zigeuner. Zigeuners moesten de lijken van de zigeuners wegbrengen, de Hongaren die van de Hongaren, JR.] Er zaten ook mensen uit Bicsérd tussen, mijn oom heeft ze herkend.
In Komárom zaten we de hele dag in van die grote bunkers met ijzeren deuren, in de kou. Er waren verschrikkelijk veel zigeuners, ik kan niet zeggen hoeveel. Joden waren er ook, die zaten in een andere bunker opgesloten. Mooie jonge meisjes en vrouwen lagen op een hoop op de binnenplaats, allemaal dood.
De soldaten sloegen met gummistokken op onze handen en hoofden. Ze gooiden brood op voor wie het pakken kon. Voor mij was dat makkelijk want ik was klein, ik kroop tussen de benen door en kon zo bij het brood dat op de grond viel. Het kon ze niks schelen wie wel en wie niet at. Je kon je niet wassen, er was ook geen wc, we deden onze behoefte in de bunkers, in de hoek. Het stonk er verschrikkelijk, we lagen in de pies en de poep. We zaten onder de luizen. Toen we thuiskwamen, durfden we het dorp niet in, zoveel luizen hadden we. Ik weet niet meer of ik in het kamp ziek geworden ben. Misschien heb ik daar mijn longziekte opgelopen. Veel later heb ik een halfjaar in het ziekenhuis gelegen, mijn halve long is eruit gehaald. Ik werkte toen in een uraniummijn, maar bij de sanering stuurden ze me weg. Toen ging ik werken bij de vuilophaal, maar mijn benen deden zeer, mijn enkels zwollen op. Zo kwam aan het licht dat ik ziek was.

Ik ben drie maanden in Komárom geweest. We mochten naar huis toen de Russen kwamen. Ze zaten in grote tanks en zeiden: 'Ga maar, ga maar.' Het was al koud, het was herfst. Ik heb de reis overleefd doordat mijn grootmoeder me op haar nek nam, want ik kon niet lopen, mijn benen wilden niet meer. En we moesten vanaf Révfalu lopen, over de suikerbietenvelden. Mijn grootmoeder raapte er een paar op en gaf ze me te eten, en ook rauwe mais.
De Duitsers konden de zigeuners niet uitstaan, ik heb geen idee waarom! In Bükkösd en Csányoszró hebben ze geen zigeuners opgepakt. Ik begrijp niet waarom hier wel.
Iemand moet toch boos op ons zijn geweest om iets, dat ze ons allemaal hiervandaan hebben weggevoerd, oude en jonge mensen, kinderen.

Toen we thuiskwamen uit Komárom waren er lui die vreselijk blij waren ons terug te zien. Maar er waren er natuurlijk ook bij die dat niet waren. Onze hutten waren afgebroken. We vonden niets meer terug, ze hadden alles van ons meegenomen. We moesten alles opnieuw opbouwen. We woonden zolang in een tent. De boeren die onze huizen hadden gesloopt, zeiden natuurlijk niet: 'Wij waren het, wij hebben al jullie spullen en huizen vernield.' We moesten ons leven opnieuw beginnen. Nergens kregen we steun. Mijn moeder ging weer in dagloon werken. Er waren nog geen bedrijven waar mijn zussen wat konden verdienen. Toen ik wat ouder was, werd ik ook dagloner. Maar na een paar jaar moest ik naar school. De ene keer gingen we wel en dan, als we geen schoenen hadden, weer niet. Soms gingen we een week wel en dan een maand lang niet. Daarom heb ik nooit leren schrijven en lezen.

Pas in 2002 hebben we, mijn vrouw en ik, de aanvraag voor schadevergoeding ingediend. Ze zeiden dat we een advocaat moesten nemen, maar daar hadden we het geld niet voor. Misschien hebben we daardoor geen cent gekregen. Onze papieren zijn op het kantoor van de burgemeester ingevuld, wij hebben ze netjes opgestuurd, maar we hebben er zelfs geen antwoord op gekregen. Misschien omdat ik mijn naam in Kő [Hongaars voor 'steen', JR] veranderd heb. Ik heb geschreven dat ik wel een Kolompár ben, alleen mijn naam heb verhongaarst – maar tevergeefs. Volgens mij geloofden ze niet dat ik zigeuner ben. Ik heb mijn naam laten veranderen, omdat in Bicsérd bijna iedere zigeuner Kolompár heet. We woonden in de zigeunerkolonie, daar had niemand een eigen adres. Als de postbode kwam met een brief waarop 'Kolompár wie-dan-ook, Zigeunerkolonie' stond, snelden alle zigeuners die er waren op hem af, iedereen zei dat de brief voor hem was. Waar we ook heengingen, als iemand 'Kolompár' riep, keek iedereen op. Daarom heb ik mijn naam veranderd.

Ik ben nu meer dan vijftig jaar met mijn echtgenote samen. Schrijven kan ik nog steeds niet, alleen mijn naam kan ik opschrijven. Mijn vrouw heet Erzsébet Kovács. Ze is van Csányoszró, op z'n zigeuners heet ze Mozol. We zijn niet getrouwd. Ze was ook in Komárom in het Sterrenfort, maar we hebben elkaar daar niet ontmoet, of ik kan het me niet herinneren. Ze was toen twintig jaar oud, getrouwd en woonde in Baks, daar hebben ze haar opgepakt. Ook daar hebben ze de zigeuners verzameld, net als hier. Toen ze mijn vrouw vrijlieten uit Komárom, ging ze niet naar huis naar haar man, maar naar Bicsérd, om bij haar zusters en broers te gaan wonen.

Ik was zestien toen we elkaar ontmoetten. Ze ging samen met mij in dagloon werken, ze werkte ook een paar jaar bij de LC. Samen kregen we vier kinderen, in die tijd kon ze niet werken. Ze heeft veel kinderen opgevoed, daarom heeft ze pensioen gekregen. Van haar oudste vier kinderen ben ik niet de vader, dat is haar eerste man.

Ik werkte bij de maaimachines. In die tijd had ik meer geld dan nu, moeders zakken zaten altijd vol geld. Toen de LC opgericht werd, ging ik daar niet werken, ik ging naar een bedrijf in Pécs. Daar heb ik nu spijt van! Ik heb vijftien jaar als belader bij het transportbedrijf Épfu gewerkt. We sjouwden stenen, cement, keien, specie, alles. Dat was niet mijn eerste werkplek, want op mijn zestiende begon ik bij de Pécsi Tatarozó Vállalat (Renovatiebedrijf van Pécs) als hulpmetselaar. Ik werkte er twee, drie jaar voor ik overstapte naar de spoorwegen, waar ik maar een jaar heb gewerkt, stenen leggen rondom het station van Pécs. Het betaalde slecht. Toen ben ik terechtgekomen bij Épfu en daarna bij de uraniummijn. Die was niet ver hiervandaan. Ik heb het er drieëntwintig jaar uitgehouden. Het kan zijn dat mijn gezondheid daar kapot is gegaan. In 1995 moest een van mijn longen eruit, want er zat een gezwel zo groot als een kippenei. Van de zigeuners die met mij bij de uraniummijn werkten, leven er niet veel meer, de meesten zijn doodgegaan aan kanker vanwege het bitumen en de straling! Uranium, wat wil je.

Ik heb bijna veertig jaar gewerkt, mijn pensioen is 40.300 Huf [ca. € 150], daar leef ik van. Moeder krijgt 25.000 Huf pensioen [ca. € 90, JR]
Vroeger was het beter dan nu. Er is geen werk en als dat er wel is, word je niet aangenomen als je van het platteland komt. Als ze mijn zoon in dienst zouden nemen, zou hij niet naar zijn werk kunnen gaan, zo slecht is de busverbinding hier.
Ongeveer veertig jaar geleden ben ik hier komen wonen, in Zók, in dit huis en twee maanden nadat we verhuisd waren, werd mijn zoon Jóska geboren. Ik vond dat er te veel zigeuners in de kolonie waren – wel minstens tien à vijftien families – en hier zijn geen zigeuners. De mensen in het dorp namen het me niet kwalijk dat ik hier ben komen wonen. Iedereen kent me. Zók ligt drie kilometer van Bicsérd en bestaat uit één straat. Toen ik het huis heb gekocht, heb ik ervoor gezorgd dat niemand in Bicsérd ervan wist, ook de zigeuners niet. Opeens merkten ze dat ik er niet meer woonde. Hier in Zók ben ik de enige zigeuner, op een béas-familie* na."

In het gehucht Zók, ruim tweehonderdvijftig kilometer ten zuiden van Boedapest, zitten András Kő en zijn vrouw Mozol op een bankje tegenover hun huis.

Naar binnen mag niet, want 'daar zijn de kinderen en die willen absoluut niet op de foto'.

András vertelt waarom hij nog maar één long heeft.

Tijdens mijn tweede bezoek staat Laci, een van zijn zoons, naast András in de deuropening en heeft geen bezwaar tegen mijn gefotografeer. Alleen een kleinzoon, die nu ook weer in huis is, wil niet op de foto.

Ik kom langs op een ongelukkig moment: Mozol is net terug uit het ziekenhuis, ze heeft een herseninfarct gehad. Ze was bijna dood en herhaalt wel drie keer dat ze dagenlang met luiers aan in bed lag, 'als een baby!'.

De derde keer dat ik bel, blijkt András de week daarvoor gestorven. Maar ik ben evengoed van harte welkom. András' jongste zoon Jóska en diens oudste broer Sanyi beamen het.

Jóska, die met zijn gezin in het achterhuis woont, neemt me mee om te praten over de laatste dagen van András, over zijn ziekte (longkanker) en wat er misging.

Weduwe Mozol is verschrikkelijk verdrietig. Ze wordt om beurten door een van haar drie zoons met zachte stem aangespoord om niet te huilen.

Naast het met bloemen bedolven graf wijst Jóska aan waar Mozol te zijner tijd zal liggen, naast haar man.

Jóska steekt een sigaret op, hurkt en plant de brandende sigaret naast het verse graf in de grond. 'Een zigeunergewoonte,' zegt hij.

Bij het afscheid nemen verzucht Jóska dat hij en zijn broers nu eindelijk de tuin en de bijgebouwtjes in orde kunnen maken. Dat mocht nooit van András.

Károly Komáromi Kötegyán

"Mijn kindertijd was behoorlijk zwaar, we waren arm en hadden niets te eten. We hadden geen schoenen en nauwelijks kleren en konden dus ook niet gewoon naar school. Ik ging in het najaar, tot de sneeuw te hoog lag en in het voorjaar, als het lekkerder weer werd, in de schoenen van mijn vader. Zodoende heb ik maar twee klassen lagere school gehad. Ons leven was heel zwaar, er was in die tijd niet zo veel werk voor zigeuners.

Bij de herenboeren konden we een aantal maanden als seizoensarbeider aan het werk en zo verdienden we wat geld, tachtig cent per dag. Ik was nog maar een kind, maar kon wel paarden mennen.

In 1944 was ik dertien jaar en werkte als karrenman en boerenknecht. Toen het seizoen afgelopen was, gingen we naar huis. We waren nog niet binnen of de gendarmes kwamen en joegen ons naar buiten.

István Farkas wilde helemaal niet gaan. Ze openden het vuur op hem – stelt u zich dat eens voor. Hij rende weg. Ze wilden hem door het hoofd schieten, maar dat lukte niet want hij vluchtte weg, achter de huizen.

In oktober trokken de Roemeense soldaten binnen. Dominee Sándor Baksi en Imre Molnár – die Roemeens spraken – kwamen hen tegemoet op de grote brug, met een witte vlag. Volgens de dominee om te voorkomen dat de gemeente iets slechts zou overkomen.

Ik geloof dat de Roemeense soldaten hier twee of drie dagen waren, toen de Hongaarse soldaten hen terugdrongen en Kötegyán bezetten. Het was de gepantserde divisie, ze droegen leren jassen. De Hongaarse soldaten wilden weten wie het Roemeense leger had ontvangen. Ze dachten dat het de zigeuners geweest waren.

Diezelfde avond kwamen de Hongaarse soldaten naar de zigeunerheuvel. Twee soldaten kwamen binnen, ik weet niet wie het waren, want ze stelden zich niet voor, het was oorlog. Ze zeiden: 'Hé opaatje, zijn dit allemaal uw gezinsleden?' We zaten net te eten, ik was er ook bij. En twee vrouwen, maar die gingen even later weg. Een van de Hongaarse soldaten vroeg of iemand wist waar ze woonden. Károly Hajtai en ik wisten het en gingen naar buiten om hun de weg te wijzen. De soldaten bleven daar tot middernacht. Die nacht hebben ze het huis van de ouders van mijn nichtje Aranka [zie volgende hoofdstuk] opgeblazen, met een handgranaat.

Een Hongaar heeft István Farkas en zijn vrouw onder het puin vandaan getrokken. Ze hadden erg lelijke verwondingen opgelopen en bloedden verschrikkelijk. Zijn zuster, Giza, bracht hen naar het ziekenhuis in Békéscaba.

Ik geloof dat een eerste luitenant een slaapplaats had bij de dominee. Gelijk met hem en de Hongaarse soldaten kwam ook Imre Molnár naar de zigeunerheuvel en bracht de legergendarmes mee. Een van hen dreef iedereen een tuin in, zigeuners evenals Hongaren. Daar scheidden hij en Imre Molnár de zigeuners van de Hongaren. Daarna werden de zigeuners in twee groepen verdeeld en een voor een het huis uit gelaten: 'Jij kunt gaan, en jij, en jij.' Zo werden er negen geselecteerd, onder wie de twee vrouwen.

Die negen namen ze mee naar het gemeentehuis. Mijn grootouders waren daar ook bij. Mijn grootvader liep met een stok. Hij zei: 'Wat wil je van ons Imre, wij hebben niets gedaan.' De legergendarme zei: 'Hou je stil, anders duw ik de rietenstok in je keel!' Ik werd weggestuurd om József Makula te halen, een jongen van zestien die in het dorp woonde. Toen ze de kinderen en mijn grootouders wegvoerden, hebben ze hem ook meegenomen.

Wie verder nog opgepakt werd, ging ook naar het gemeentehuis. Daar bleven ze een nacht en een dag. Op de derde dag brachten vier mannen met geweren hen op een paardenkar naar de gendarmerie in Sarkad.

De gendarmes pakten mijn vader, Károly Farkas, op in Sarkad en brachten hem ook naar de gendarmerie. Ze hebben hem nooit meer vrijgelaten. Ze sloegen iedereen tot gort, ze maakten ze allemaal kapot. Dat weet ik van de twee vrouwen, mevrouw Kálmán Kovács en Erzsébet Ungvári, ze zijn erbij geweest. Ze vertelden hoe de gendarmes de zigeuners zo hard met de 'stierenstok' sloegen, dat de muur onder het bloed zat. Want ze werden poedelnaakt voor verhoor naar binnen gebracht en gemarteld. Ik was dertien jaar, wat wist ik van zulke dingen? Niets. Toen ze mijn vader ophaalden, hebben ze hem geslagen en zijn horloge afgepakt. Dat was alles wat ik wist.

De gendarmes namen hen mee uit Sarkad, in de stromende regen voerden ze hen langs de hoofdweg naar Doboz. Een van de gendarmes zei tegen mijn vader – die voorop liep, want hij kende de weg – 'Hier gaan jullie dood, teringlijers!' Dat weet ik van de twee vrouwen, die waren er eerst ook bij. Tegen de dageraad brachten ze de hele groep naar de begraafplaats van Doboz, de gendarmes gingen in een kring om ze heen staan en maaiden ze neer met machinegeweren en handgranaten. Ik heb van de begraafplaatsbeambte gehoord dat een kind probeerde te vluchten, maar dat lukte niet. De gendarmes merkten het. Toen iedereen was vermoord, pakten de gendarmes een paar zigeuners uit Doboz op en die moesten het graf graven waar de slachtoffers in werden gegooid. Sommigen waren nog niet eens dood.

Dat vertelde de begraafplaatsbeambte, want ze had het wanhopige gejammer gehoord, en de smeekbedes om niet vermoord te worden. Want op weg naar de begraafplaats wisten ze al dat dat zou gebeuren. Wat hadden ze anders te zoeken op de begraafplaats, midden in de nacht. Zo is het gebeurd."

Citaat uit uitspraak nummer B-551/1956/6 van de rechtbank van Gyula, gedaan op 25 februari 1956:

"Tegen het einde van september 1944 werden er gevechten gevoerd in de omgeving van Arad, Nagyszalonta. Aan de ene kant tussen de Hongaars-Duitse troepen, aan de andere kant tussen de sovjet- en de Roemeense troepen. Aan deze gevechten heeft ook de eerste Hongaarse gepantserde divisie deelgenomen. Eind september bezetten de Roemeense troepen de gemeentes Méhkerék-Kötegyán, terwijl de sovjet-troepen Nagyszalonta bezetten. In de eerste dagen van oktober drongen Duitse SS-eenheden de Roemeense troepen en gedeeltelijk ook de sovjet-troepen terug. Toen begon de contraspionage met zuiverings-activiteiten in Sarkad en omgeving. Ze pakten een groot aantal zigeuners op, onder wie zich ook vrouwen en twee à drie kinderen onder de 16 jaar bevonden. [...] De van verschillende plaatsen opgepakte mensen werden aan afschuwelijke mishandelingen onderworpen. [...] de bijeengebrachte ongelukkigen moesten in een grote kamer met hun gezicht naar de muur gaan staan en als ze zich durfden te verroeren, of achterom durfden te kijken zouden ze geslagen worden. Hiermee gelijktijdig werden onder leiding van de onderzoeker de slachtoffers een voor een naar een belendende kleinere kamer gebracht, waar ze na ontkleding achter elkaar door meerdere legergendarmes en soldaten met twee-vingers-dikke stokken geslagen werden, gebaseerd op de aanwijzingen van de onderzoeker, volgens welke er geen lichaamsdeel over-geslagen mocht worden. Alle opgepakten werden aan deze mishandelingen onderworpen, als gevolg waarvan sommigen ziektes hebben opgelopen, die hun hele leven beïnvloed hebben. De in de voorkamer tegen de muur opgestelde mensen werden

met geweerlopen en op andere wijzen mishandeld door de daar aanwezige legergendarmes en de soldaten die aangewezen waren om hen te bewaken, op een zodanige wijze dat de muur als gevolg van de wreedheden onder het bloed is geraakt.

In de middaguren van 5 oktober 1944 gaf de bevelhebber van de eerste gepantserde divisie het bevel om zich terug te trekken vanwege het naderen van de bevrijdende troepen. Kapitein Kubányi nam maatregelen om de opgepakte gevangenen en burgers naar achterliggende gebieden te transporteren. [...] Aangeklaagde Boldizsár kreeg het directe bevel de opgepakte twintig zigeuners later vrij te laten, terwijl de gevangenen verder weg van het front moesten worden getransporteerd. Boldizsár met zijn gevolg en de gevangenen vertrokken tegen schemering uit Sarkad richting Doboz. Toen de groep bij het bos van Doboz aankwam, bedachten de begeleiders dat de zigeuners in het bos moesten worden terechtgesteld. [...] Pelotonshoofd Fábián ging met een andere gendarme weg om een geschikte plaats voor de executie te zoeken. Echter, ze kwamen terug met de mededeling, dat het terrein niet geschikt was voor executie. [...] Na ongeveer 10 à 14 kilometer kwamen ze rondom 10 uur in de avond in de gemeente Doboz aan vóór het kasteel. [...] De groep van ongeveer twintig zigeuners werd gescheiden van de overige gevangenen, die in de stal van het kasteel werden ondergebracht. Onder hen waren soldaten, civiele personen en ook twee vrouwen. [...] Hierna gaf eerste aangeklaagde Boldizsár orders de groep van twintig zigeuners langs de weg van Doboz verder te voeren. [...] Hierop volgend voerden de begeleidende soldaten en leger-gendarmes van de groep hen naar de begraafplaats. [...] Hier werd de daar aan-wezige begraafplaatsbeambte, Mevrouw Károly Szabó, mede-gedeeld dat ze niet moest schrikken, want ze zouden nieuwe wapens testen. Intussen voerden de begeleiders de groep van twintig zigeuners de begraafplaats in, ongeveer 300 à 400 meter van de ingang, waar ze op de grond moesten gaan liggen om de nacht daar door te brengen. Vervolgens trokken de begeleidende personen zich enkele meters terug, een lijn vormend, en gaven op bevel een salvo op de op de grond liggende twintig mensen. Daarna trokken ze zich verder terug tot aan een groep treur-wilgen, en gooiden handgranaten [...] op de ongelukkige slachtoffers. Wie zelfs hierna nog in leven was, werd door een legergendarme door het hoofd geschoten. [...] Vervolgens gingen de overige twee gendarmes en [...] twee legergendarmes naar het deel van de gemeente dat vlak bij de begraafplaats lag. Daar pakten ze zes à acht personen op en lieten hen een graf graven van 2x3 meter, ongeveer 1 meter diep. Hierin werden de lijken geplaatst, onder wie minstens 2 à 3 kinderen, 15 mannen en 2 vrouwen,[...]"

Károly Komáromi vertelt me kort na mijn aankomst dat zijn vrouw in 2004 is gestorven, in 2001 zijn zoon en vorig jaar een van zijn dochters.

Károly Komáromi voor zijn huis.

Zijn kleindochter Éva zorgt voor Károly.
Ook haar tweelingbroer Ferenc woont bij
hen, maar die is door de week aan het
werk in Györ.
Károly's dochter Zsuzsanna (58) komt
vaak even kijken of alles goed gaat. Soms
alleen om te controleren of haar vader de
medicijnen die hij dagelijks moet slikken
wel inneemt.

In het boek *Pharrajimos* van János Bársony en Ágnes Daróczi is een tijd geleden een interview met hem verschenen, maar Károly weet daar niets van. Niemand heeft hem iets gestuurd, hij kan toch niet lezen. Éva leest hem de tekst voor die ik heb meegebracht, maar het lijkt hem niet te interesseren.

Zsuzsi kletst honderduit terwijl ze broodjes komt bakken voor Ferenc, om mee te nemen naar Györ. Ferenc zelf zit in een andere kamer televisie te kijken.

Met enige tegenzin vertrekt Károly naar het dorpshuis, naar een cabaretmiddag.

Voor het hek van het dorpshuis neemt
Károly afscheid van me, duidelijk iets
vrolijker dan voor de cabaretmiddag.

Aranka Farkas Doboz

"Ik ben Aranka Farkas, geboren op 24 maart 1926. Ik had vijf broertjes en zusjes, we komen uit een arm arbeidersgezin. Mijn ouders waren houtsnijders. Mijn vader heette Kálmán Farkas. Mijn moeder, Krisztina Hajkai, weefde ook linnen lakens. We woonden in Kötegyán, aan de grens met Roemenië, in een tweekamerwoning met keuken.

Mijn ouders hadden een houten paardenkar, waar een biezen mat overheen was gespannen. Een soort huifkar, waarmee ze naar de markt gingen. Dan bleef ik, het oudste meisje, thuis want ik hield van schoonmaken. Ik waste, dweilde, haalde hout en toen mijn ouders oud werden, en soms ziek, verzorgde ik ze. De anderen gingen al snel de deur uit, maar ik bleef thuis, mijn moeder helpen. Ik was niet het oudste kind, maar wel het handigste.

Mijn broer József Hajkai was de oudste. Hij sneed houten lepels en troggen, die hij op de markt verkocht. Mijn andere broer was invalide en een derde werkte bij de gendarmerie. Daarna kwam Gizella, die als landarbeidster werkte, in Sarkad. Ze is al meer dan vijftien jaar geleden gestorven. Na haar kwam Károly en daarna ons zusje Ilonka, die ook invalide was. Zij is nu meer dan tien jaar dood.

Ja, en dan heb ik nog een zus, Mária Hajkai. Ik was zes jaar toen zij geboren werd. Ik herinner me het nog heel goed, het scheelde niet veel of ze was op het marktplein geboren. In die tijd trokken de zigeuners met karren naar de markten met hun troggen en houten lepels. Die dag arriveerden we om acht uur op de markt. Mijn moeder werd ziek, waarop mijn vader meteen naar de dokter holde. Moeder werd het gemeentehuis binnengedragen, naar de dorpsvroedvrouwen en daar begon de bevalling.

Voor mijn vader was een gezin met zes kinderen een hele opgaaf. Zijn hand was eraf geschoten in de oorlog en daarom kreeg hij een boek dat op elk gemeentehuis moest worden getoond, het boek der smeekbeden. Zigeuners die gewond waren in de oorlog en zo'n boek hadden, kregen toestemming hun dorp uit te gaan om het de boeren te laten zien, die dan verplicht waren iets te geven. Ze gingen niet alleen, ze verzamelden zich met nog ongeveer twintig karren. Iedereen nam zijn kinderen mee, die zijn zo opgegroeid. De grotere kinderen pasten altijd op de kleintjes. Wij pasten op elkaar en zij gingen naar de markten met hun koopwaar en die smeekbedenboeken. Dat is traditie geworden.

Dat is de echte zigeunertraditie: samen met de huifkar op pad. We woonden met drie gezinnen in een straat waar ook Hongaren woonden. De zigeuners vertrokken samen naar de markten en de dorpen. Ze gingen niet stelen en deden niets wat niet hoort.

Op mijn achttiende heb ik mijn man ontmoet. Hij kwam op bezoek bij zijn broer, die soldaat was bij de Roemeense grens. Zo hebben we elkaar leren kennen en ben ik in Doboz beland. Toen ik met hem trouwde, was hij muzikant, dirigent. Ik was blij in een muzikantenfamilie terecht te zijn gekomen. Mijn vader was er ook blij mee, mijn moeder niet. Ze zei dat hij beter een vak kon gaan uitoefenen. Maar ik heb altijd een muzikant gewild. En het ging erg goed, mijn man heeft de kinderen laten studeren en een van hen is in het Ensemble Rajkó terechtgekomen. Ik heb tien kinderen. Mijn man had twee paarden die hij verkocht, zodat de kinderen muzikant konden worden. Alle kinderen zijn nu muzikant en daarnaast werken ze ook graag.

Ze gingen naar school in het dorp, ook in de winter. Ik moest de kleintjes brengen, 's ochtends en 's middags. Ik was nog maar net thuis om te koken, of ik moest ze weer gaan halen. Als er veel sneeuw lag, droeg ik de kinderen op mijn rug. Mijn man werkte. Want toen het musiceren niet meer zo goed liep, hield hij ermee op en ging hij in Mezőhegyes werken. Eerst bleef ik thuis voor de kinderen. Maar omdat alleen mijn man verdiende, hadden we niet genoeg geld. Daarom ging ik werken bij de Landbouw-Coöperatie. We hadden een kar met paard, ik nam de kinderen die nog klein waren mee en legde de allerkleinsten op een deken op de grond. De iets grotere kinderen pasten op ze.

Daarna kreeg ik werk bij het Vogelverenbedrijf en toen kon ik dus niet naar huis om te koken. Maar je kon wel eten halen. Dus bleef een van de kinderen 's middags thuis om op de kleintjes te passen en de andere ging het middageten halen. Zó heb ik ze kunnen grootbrengen. Helaas waren het bijna allemaal jongens. Er waren maar twee meisjes, die waren klein, daar moesten de jongens op passen. Mijn oudste zoon bracht ze om de beurt met de fiets naar school. Ze zijn allemaal naar school geweest; als hij er met één thuiskwam, nam hij de volgende weer mee. Ze wisselden elkaar af. Dus toen ik werkte, bleef de oudste thuis. Hij verbeeldde zich dat hij ook al kon koken. Hij kocht een boek waaruit hij het leerde. Hij schreef alles over uit dat kookboek.

Bij het Vogelverenbedrijf was mijn werk de balen van vijfentwintig à dertig kilo op een vrachtwagen te laden, ik moest dus erg veel sjouwen. Mijn nieren en mijn benen zijn stuk gegaan, ik ben kapotgegaan, ik werd mindervalide en mocht eerder met pensioen. Ik heb zeven jaar bij de LC-groep gewerkt en bij het Vogelverenbedrijf elf jaar. Dus naast de verzorging van tien kinderen heb ik nog achttien jaar gewerkt.

In de oorlog, toen onze oudste, Jóska, twee jaar oud was, werd mijn man, Béla, opgeroepen als soldaat. Bij de brug van Doboz stond een Hongaarse soldaat op wacht. Ik bracht Béla weg en we moesten de brug over. Béla vroeg de soldaat: 'Hé, begeleid jij mijn vrouw als ze weer terug over de brug moet!'

Maar die soldaat zei: 'O, daar zal geen gelegenheid meer voor zijn.'

Hij paste op de lont om de brug op te blazen, zodat de Russen er niet overheen konden. Het huis van mijn ouders in Kötegyán was toen net opgeblazen.

Ik werd in een bunker gevangengezet en toen de Russen binnenvielen, werd ik weer vrijgelaten. Nou, ik meteen naar het ziekenhuis waar ik na de ontploffing mijn moeder en de anderen die gewond waren geraakt, naartoe had gebracht. Ze waren net aan het schieten toen ik bij het ziekenhuis aankwam, ik holde naar binnen met het kind op mijn arm. Mijn moeder zei: 'Ach, mijn dochter, hoe ben je hier binnengekomen? Ze laten ons niet gaan. Als ze ons vrijlaten, wat gebeurt er dan met ons? Waar moeten wij heen? Wat moeten wij doen?'

'Ik weet het niet, moeder,' zei ik.

In het ziekenhuis lagen nog twee familieleden van me, allebei zwaargewond.

De een miste een been, mijn moeder was ook gewond en zat onder het bloed, mijn man hadden ze meegenomen, en ik liep maar met dat kind op mijn arm. Nou, zo kwamen we terecht onder de blote hemel.

Wie kom ik tegen? Mijn schoonvader en mijn vader. Ze liepen hier bij de brug.

'Wat is er Aranka, hebben ze hem meegenomen?'

'Ja,' zeg ik. We gingen terug naar Kötegyán, naar ons ingestorte huis. De twee oude mannen en ik wilden het eigenlijk niet zien, want daar hadden we mijn moeder en de anderen van de straat opgeraapt. Nou, daar gingen we even wonen, we moesten wel. Maar mijn zuster en haar man hadden intussen een huis gekocht in Roemenië en daar gingen mijn ouders toen wonen. Als iemand hen na de ontploffing hier in Doboz had laten wonen, zouden zij niet naar Roemenië zijn gegaan.

Toen de Russen binnentrokken, namen die alles mee, die hebben net zo geroofd als de Roemenen. Iedere vijand doet het. Alleen de Hongaren hebben niet geplunderd. De Russen hebben ons helemaal te gronde gericht, maar de Roemenen zijn ermee begonnen. Ze gooiden alles naar buiten en bliezen de huizen op. Toch is het goed voor ons geweest dat de Russen zijn gekomen, anders zouden ze ons allemaal hebben weggevoerd. We waren al op de lijst gezet, een week later kwamen de gendarmes. Zelfs onze zoon Jóska stond erop. Twee gendarmes kwamen om ons en de kinderen te halen. Ze wilden ons wegvoeren. Toen ben ik gevlucht naar de moeder van Komáromi, daar waren ze erg op mij gesteld.

Daar waren zo veel wandluizen, dat ik het kind moest vasthouden. Ze liepen over mijn handen, het kind was helemaal rood.

Ik was niet slim genoeg om bij het gemeentehuis een klein woninkje te vragen, omdat ze mijn man als soldaat hadden meegenomen. Misschien zouden ze het hebben gegeven. En ook een voor mijn vader en moeder.

Eerst ben ik met mijn ouders meegegaan naar Roemenië, maar daar werd ik door zigeunervrouwen aangevallen, lelijke zwarte vrouwen, die bezorgd waren vanwege hun mannen. Wat denk je, drie zigeunervrouwen stonden vóór me en zeiden dat ze mijn neus eraf zouden snijden, omdat ik het met een van hun mannen zou houden. Ik zei dat mijn echtgenoot soldaat is en dat ik zo'n minderwaardige zigeuner niet hoef. Moet je je voorstellen, ze trokken met z'n drieën aan mijn haar. Mijn zwager Józsi en mijn moeder moesten ze van mij af slaan.

In Kötegyán had ik heel wat tarwe te goed. Ik zei tegen mijn moeder: 'Ik ga mijn tarwe verkopen en dan ga ik ergens anders wonen, weg van hier. Het kan me niet schelen waar, maar hier ga ik weg, ik ga in Kötegyán wonen.'
Zo ben ik weer in Kötegyán teruggekomen, sindsdien ben ik aan het sappelen. Ook Béla was teruggekomen en toen sappelden we samen.

Hoe ik ontdekte dat mijn broer Károly gestorven was? Van oom Sinka. Károly was niet thuis en we hadden geen idee waar hij was. Toen versprak oom Sinka zich. 'Weet je wat er gebeurd is vannacht? We hebben zigeuners begraven!' Hij zei tegen mijn vader: 'Alleen jij mag het horen, je mag het niet verder vertellen. Ik kan het nu zeggen, nu de Russen er zijn. We hebben ze 's avonds begraven, eenentwintig mensen van Kötegyán en Szalonta, maar de gendarmes zeiden dat wij er ook bij zullen zijn als we het verklappen.'
En ik herkende de hoed van mijn broer, zo'n groene met een gat erin, op het hoofd van een man, een arme Hongaar die altijd bij de zigeuners rondhing. Ik vroeg:
'Hoe ben je aan die groene hoed gekomen? Dat is de hoed van mijn broer! Vertel op! Waarvandaan heb je hem meegenomen?'
'Van de begraafplaats,' antwoordde de Hongaar. 'Daar zijn ze doodgeschoten. Met oom Sinka hebben we de zigeuners begraven.'
Ze hebben op 5 oktober een graf op de begraafplaats van Doboz gegraven, daar had hij die hoed vandaan. Daar begroeven vier mannen de eenentwintig slachtoffers.
Ik ging naar mijn moeder, kreunend: 'Mijn broer is er niet meer.' Twee kinderen liet hij achter.
Mijn andere broer hebben ze niet daarheen meegenomen, want hij werkte bij de gendarmes, hij maakte er schoon en plukte maiskolven. En ik werkte bij de Hongaren, dus wij waren de dans ontsprongen. De broer van Zsuzska Komáromi, Károly, had een twaalfjarige dochter en een veertienjarige zoon. Hoe die erbij terecht zijn gekomen, weet ik niet. Hun vader werd niet gepakt, alleen de kinderen. De gendarmes namen hen mee naar Sarkad. De ouders van die Károly Komáromi wilden achter hun kleinkinderen aangaan om te kijken of ze ze vrij zouden kunnen krijgen. En mijn broer wilde onze ouders zoeken. Ze zijn tegelijkertijd opgepakt. De twee oude mensen waren als gevangenen aan elkaar gebonden met een ketting.

Als die niet op pad waren gegaan om hun kleinkinderen te zoeken, zouden ze nu nog in leven zijn.

Later ging ik met mijn vriendin Anna en nog veel anderen naar de begraafplaats. De begraafplaatsbeambte vertelde ons alles, hoe ze met de hele groep langs het bos, naast de hoofdweg liepen. En hoe mijn broer en mijn verwanten zijn gestorven. Toen gingen we naar buiten. Anna herkende de pijp van haar vader en ook de kleren van haar moeder, een beetje koffiekleurig en met van die kleine stipjes erop. We zagen alleen wat stukjes stof.

We vonden nog meer kledingstukken. Alles zat onder het bloed. Ach, ik praat er liever niet over. Ik houd er niet van erover te spreken.

Jaren later lagen er nog steeds dingen die we herkenden als de onze. Het was akelig om te zien.

Toen ik wist dat mijn broer dood was, ben ik naar de rechter gegaan. Niet alleen ik, iedereen van wie er broers en zusters weg waren. We gingen naar het huis van de rechter, waarom hij zo iets gedaan had, waarom hij had toegelaten dat ze vermoord werden, terwijl ze nergens schuld aan hadden. Alleen de kinderen raapten tijdens straatgevechten wel eens op wat de Roemenen hadden weggegooid. Een beetje suiker en daarom werden ze gepakt. En toen de grootouders ze gingen zoeken, pakten de gendarmes die ook op, bonden ze vast en brachten ze naar Doboz. We herkenden de kledingstukken, we herkenden de spullen van iedereen. De boodschappentas, sigaretten, een doosje, spulletjes van een van de vrouwen. We verzamelden alles. We herkenden alles. Zo kwamen we te weten dat eenentwintig personen vernietigd waren. Bijna de helft was familie, acht familie-leden waren erbij. Mijn broer, een oom, zijn vrouw en zijn gezin, een vader en twee kinderen. Naaste verwanten."

Aranka Farkas.

Momenteel woont Aranka in het huis van haar zoon Jenő en zijn gezin. Sommige familieleden willen niet gefotografeerd worden, die gaan weg of vertonen zich niet. Als ik afscheid neem, spreken we af dat we de volgende keer naar de begraafplaats gaan waar de schietpartij heeft plaatsgevonden. Ze vraagt me dan een hoofddoek voor haar mee te brengen.

Bij mijn tweede bezoek omhelst Aranka me blij. Maar... de meegebrachte hoofddoek valt niet in de smaak en dus brengt ze me niet naar de begraafplaats.

Een van Aranka's achterkleindochtertjes.

Aranka vertelt me over een groot goulashfeest dat ze ooit in de tuin wil organiseren. Ze haalt kleren uit de kast om te tonen 'wat wíj, zigeuners, aantrekken voor een feest'.

Aranka's dochter Iboya brengt de kleintjes naar de grotere meisjes en Aranka gaat rozen plukken: we gaan alsnog naar de begraafplaats.

Aranka loopt voorop met de rozen in
een plastic tas. Iboya en haar moeder
verzorgen het massagraf. Ze klagen over
de gemeente vanwege de deplorabele
staat van de grafsteen.

Pál Mursa Szatmárcseke

"Mijn vader is in de oorlog weggehaald om in de Oekraïne te vechten. Vier maanden later is hij omgekomen bij de Slag aan de Don [januari 1943, JR], maar dat heb ik allemaal pas later gehoord. Ik herinner me niet eens dat ze hem kwamen halen van waar we woonden, onze lemen hut in de groeve, de zigeunerkolonie.

Ik was toen pas vijf, ik was de jongste. Mijn broers en zusters zouden zich misschien nog wel iets kunnen herinneren, maar die zijn alle vier dood. Hoe oud ik nu ben, weet ik niet. Ik weet alleen dat ik in 1939 ben geboren. En dat ik er slecht aan toe ben. Ik moet veel medicijnen innemen, ik krijg pillen voor mijn hart, ik ben suikerziek, mijn longen zijn niet in orde en mijn lever houdt water vast. Ik voel me bijna voortdurend ziek."

Een kleine rekensom leert dat Pál drie jaar oud was toen zijn vader geronseld werd, dus het is niet verwonderlijk dat hij zich daar niets van herinnert. Omdat Pál zich niet lekker voelt, ga ik mee naar huis met zijn neef Károly Mursa, via wie het contact met Pál tot stand is gekomen.

"Van onze vier dochters is alleen de oudste, Renáta, er niet. Ze zit op een opleiding voor douanebeambte en komt alleen de weekenden thuis. De tweeling, Viktória en Barbara, komt zo uit school, en Hajnalka moet ik direct van de bus halen."

Een paar maanden later ga ik weer naar Szatmárcseke. Ik wil ook foto's van Renáta. Eigenlijk hoop ik Pál thuis te treffen, maar hij blijkt bij zijn dochter Melinda te zijn, in het dorp Tunyolgmatolcs. Zij zorgt voor hem. Hij moet bijkomen van een langdurige behandeling in het ziekenhuis en blijft bij haar tot hij hoort wanneer hij geopereerd kan worden. Waaraan is me niet duidelijk geworden. Terwijl ik zijn vier dochters aan het fotograferen ben, komt Károly triomfantelijk binnen met een groepsfoto van een stelletje soldaten: een van hen is zijn opa Jenő, de vader van Pál.

Als ik een jaar later terugkom, is Pál er weer niet, hij is terug bij Melinda om bij te komen van de zware operatie waarvoor hij, zoals ik later zal begrijpen, een kast heeft moeten verkopen om de kosten te kunnen dekken.

Pas de vierde keer, weer een paar maanden later, is Pál eindelijk thuis, monter als nooit tevoren. Het gaat hem prima, hij praat honderduit. Over hoe ze vroeger thuis niets hadden, zelfs geen brood. "We werkten als dagloners en de boeren betaalden met eten. Naar school gingen we niet, dat gaat niet zonder schoenen. We hadden met zijn allen maar één paar. Degene die boodschappen ging doen, kreeg de schoenen aan. Toen ik acht was, kon ik bij mijn oudtante komen wonen; ze was familie van mijn moeder, had zelf geen kinderen en was dol op me. En toen ik twaalf was, begon ik als dagloner te werken: graan snijden met een zeis en samenbinden, zwaar werk als het warm is. Ik trouwde op mijn twintigste. Mijn vrouw is vijf jaar geleden overleden, een jaar na mijn dochter Emma, die toen tweeëntwintig was en aan een hartinfarct is gestorven. Wij alle vijf, mijn broers, zusters en ik hadden ook veel hartproblemen. Mijn andere dochter Melinda, bij wie ik net vandaan kom, is veertig."

("Vierenveertig," fluistert Károly.)

"Toen ik achttien was, ging ik naar Pest, bij een bouwbedrijf werken. Met de 'zwarte trein', de trein waarmee we allemaal [de mannen en jongens uit het oosten, JR] naar Boedapest reden om te werken. En waarmee we één keer in de maand naar huis gingen. Wíj hebben Boedapest weer opgebouwd, met onze eigen blote handen. En dan zeggen ze dat zigeuners niet willen werken!!!

Elke keer als ik thuiskwam, bracht ik allerlei spullen mee. Die zocht ik bij elkaar uit de vuilnisbakken van Boedapest. Die waren altijd van betere kwaliteit dan wat je hier in de winkel kon krijgen. Na het bouwbedrijf werkte ik twintig jaar bij het Volán vervoersbedrijf, tot de sluiting in 1990. Daarna was ik nog jaren grondarbeider."

Intussen is zijn zoon Csaba binnengekomen. Hij komt bijna elke dag even kijken of hij iets voor zijn vader kan doen. Vrolijk vertellen ze over vroeger, elkaar bijvallend of in de rede vallend, alsof armoede leuk is.

"Hier, in deze kamer, stonden twee bedden, een tafel en een fornuis. In het ene bed sliepen er drie en in het andere twee. Het been van de ouwe hing uit bed, rustte op de grond. We lagen lepeltje-lepeltje, en dan ook nog met de benen van de een bij het hoofd van de ander. Als eentje zich omdraaide, moest de ander dat ook doen."

"Ja," zegt Pál, "pas veel later hebben we nog een kamer aan het huis gebouwd."

"En in de winter gingen we natuurlijk niet naar school," zegt Csaba, "want we hadden alleen maar gympies. En Pál kookte altijd voor ons, als een echte kok. Hij kookt heerlijk, nog steeds." Pál knikt en wijst trots op een bordje met szilva pogácsa (bladerdeegkoekjes met pruimenvulling). "Ik kan dat als geen ander. Vroeger, toen ik klein was, kookte ik al voor de andere kinderen thuis, en later voor de arbeiders in Boedapest. Nu kook ik niet zo veel meer, ik heb ook geen geld om eten te kopen."

Csaba zegt dat ze eigenlijk alleen in de winter problemen hebben, want van de lente tot de herfst werkt de hele familie op het land, in de eigen komkommerkwekerij of in dienst van anderen. Zoals Károly en Ilona, die voor de burgemeester werken (die appelboomgaarden, een varkensfokkerij, een hotel en nog meer bezit). Pál werkt niet meer, maar lijdt daar, zo te zien, niet onder.

Ze vertellen dat er van de zestienhonderd inwoners van het dorp zeshonderd roma zijn. Het dorp is opgebouwd uit keurige, evenwijdige straten waar zigeuners, in vaak door henzelf gebouwde huizen, naast 'witte' mensen wonen. De zigeunergroeve met zijn lemen hutten is al lang geleden verdwenen. "Je kunt helemaal niet meer bij de plek komen waar de kolonie was, het is een verwilderd bosgebied geworden waar geen pad naartoe loopt."

Achterste rij, zesde van links: Jenő, de vader van Pál.

Pál Mursa.

Károly Mursa en zijn vrouw Ilona.

De ganzen van Károly en Ilona leven nog, want 'de meisjes lusten geen ganzenvlees'.

Hajnalka (17), Viktória (14), Károly (48), Ilona (43), Barbara (14), Renáta (19).

In de winter zitten de meisjes het liefst in de keuken, daar is het lekker warm.

Renáta kookt graag.

Mais korrelen voor de ganzen.

Renáta en Hajnalka (in de spiegel) delen
een kamer.

De tweeling Viki en Barbara slaapt samen
met hun ouders op één kamer.

De tweeling doet huiswerk in de huiskamer.

Károly en Ilona zijn erg trots op de meisjes. De tweeling leert goed en gaat volgend jaar naar het gymnasium.

De tweeling oefent voor een optreden als majorette.

Oefenparade.

Renáta en Hajnalka hebben Barbara
moed ingesproken.

De majorette-uitvoering.

Papa Károly rijdt op de vrachtwagen, een vak waarmee hij vroeger, naast metselen en bouwvakken, zijn brood verdiende.

Várpalota, januari 1945

Op een grijze dag in januari 1945 ziet mevrouw Krakovszki, terwijl ze in Várpalota boodschappen aan het doen is, hoe een grote groep zigeuners te voet langs wordt gedreven. Ze hoort dat de pijlkruisers ze meenemen om ergens te gaan werken. 'Ze brachten ze waar nu dit meer is, dat was toen nog ruig land. Ik ging erachteraan en verstopte me in het dichte kreupelhout.'

Ze ziet een versgegraven lange en diepe kuil. Vrouwen moeten aan de rand van de kuil gaan staan met hun baby's in hun armen en naast zich de kleintjes, die zich aan hun jurk vastklemmen. 'Het was verschrikkelijk om te zien hoe ze een voor een de kuil in werden geschoten. Een jongetje was nog niet dood, ze kwamen op hem af en schoten hem alsnog door het hoofd. Ik gilde het uit en hoorde een pijlkruiser roepen: 'Wie gilt daar? Wie was dat?' En ik rende weg, ik rende de hele weg naar huis.' Een meisje en een jonge vrouw overleven het bloedbad. Als het schieten begint, springt de veertienjarige Margit Raffael in doodsangst de kuil in. 'Geen enkele kogel raakte me direct, alleen een kleintje, een kogel die uit iemand anders kwam, een soort vertraagde kogel.' De andere overlevende, Angéla Lakatos, vertelt dat ze eerst met z'n allen opgesloten werden in een schuur. De mannen werden naar een plek verderop gebracht, daar moesten ze een diepe kuil graven. Ze zijn er nooit meer uit gekomen. Toen de vrouwen en de kinderen naar de kuil gebracht werden, waren de mannen al doodgeschoten. 'En toen begonnen ze óns erin te schieten, de vrouwen en kinderen. Ik was zwanger, mijn kindje zou in juli geboren worden. Ik werd acht keer geraakt, in mijn hand, mijn dij, mijn kuit en mijn zij. Toen alle geluid verstomd was, kwamen ze controleren, met een lamp. Ik hield me doodstil.' De twee overlevenden hielpen elkaar het massagraf uit en wisten te ontkomen. Mevrouw Krakovszki zag ook zigeunerlijken bij het Mátyás-kasteel, in het stadje zelf. Andere ooggetuigen vertelden dat zeven zigeuners, drie van Székesfehérvár en vier van Várpalota, eerst om het kasteel moesten rennen onder het uitroepen van: 'Dit gebeurt er met landverraders.' En ze hadden niets gedaan, het waren niet eens deserteurs. Een gerechtelijk verslag uit 1949 vermeldt dat er vijf zigeuners werden doodgeschoten en dat een van de lijken een kartonnen bord om zijn nek kreeg met het hierboven genoemde zinnetje.[1]

Dankzij de sprong van Margit en dankzij het feit dat Angéla alleen oppervlakkig geraakt werd in ledematen en niet in organen of hoofd, zijn er twee mensen die uit eigen ervaring het verhaal van deze slachting van ongeveer tweehonderd zigeuners hebben kunnen navertellen. Want de daders waren pijlkruisers uit het stadje zelf en die hielden hun mond. Het massagraf ligt inmiddels verborgen onder een vredig spiegelend wateroppervlak. Het terrein is privébezit van vijf eigenaren, die er een meer van hebben gemaakt waarin alleen zij mogen vissen. Elemér Bábai, de gemeentelijke vertegenwoordiger van de zigeuners van Várpalota, vertelt dat er, naast de doodgeschoten zigeuners, nog van allerlei oorlogsmaterieel onder het wateroppervlak moet liggen, zoals tanks. Het is nooit degelijk onderzocht, waarschijnlijk omdat de schuldigen de eigenaren van het meer zijn en nog in Várpalota wonen, of in elk geval hun familie. Elemér zegt dat er sprake is van projectontwikkeling ter plekke, er gaan zelfs geruchten over een pretpark op deze locatie! Onmiddellijk begonnen mijn twee begeleiders, Elza Lakatos en Vilmos Farkas, grootse plannen te smeden met Elemér om met eigen geld (via publiciteit of anderszins) een monument op te richten en een grote bijeenkomst van alle zigeuners uit heel Hongarije te organiseren tijdens de holocaust-herdenkingsdag

Elza Lakatos, Elemér Bábai en Vilmos
Farkas aan de oever van het Grábler tó.

Vilmos vertelt dat familieleden van hem
in het meer liggen.

Grábler tó.

in augustus. Vilmos stelde voor beenderen op te laten duiken en met DNA-tests vast te stellen welke familieleden van hem en anderen daar liggen, onder het water. En ze dan fatsoenlijk begraven. Maar het is bij plannen gebleven.

Later heb ik veelvuldig contact met Elemér gehad, want hij kent Margit Raffael, die in Györ woont. Zou zij de enige nog overlevende van de massamoord zijn, het meisje dat toen veertien jaar was? Om haar te ontmoeten, ben ik herhaaldelijk naar Várpalota gereden. Maar zij liet zich niet zien. Ik heb er Elemér nogmaals naar gevraagd, en ze bleek een alcoholica van een jaar of vijfenveertig te zijn. Een overlevende van de massamoord in 1945? 'Nee,' zei hij, 'ze noemt zich zo, maar het zal haar dochter wel zijn.'

Het deel van de paleismuur waar de vijf zigeuners zijn doodgeschoten.

De plaquette tegen de muur van de school in Torony, waar de zigeuners verzameld werden voor ze op transport gingen naar Komárom.

Van holocaust tot pharrajimos

'Pharrajimos* betekent 'de vernietiging'. Het is een erg droevig verhaal. Maar jij moet het weten, Mozolka, mijn kindje, want je behoort tot onze familie. Daarom zal ik je erover vertellen.'
(uit: János Bársony en Ágnes Daróczi, *Grootmoedertje Vrana vertelt*)

In 1991 werd in Nagykanizsa het eerste gedenkteken voor de roma-holocaust opgericht en in 1993 een tweede in Nyíregyháza. Sinds die tijd organiseren de Hongaarse roma holocaust-herdenkingen.

Ook onder historici en journalisten is het thema van de vernietiging van de roma pas betrekkelijk laat op gang gekomen en bij de roma-intellectuelen nog weer later: we zien dat vanaf de jaren zeventig de 'ontdekking' van het verleden begint, waarna de eerste publicaties erover verschijnen. Aanvankelijk interviews en kleine krantenartikelen.

De roma-literatuur besteedt vanaf de jaren tachtig aandacht aan de steeds toenemende wreedheden waardoor de zigeuners in de Tweede Wereldoorlog werden getroffen; in kringen van beeldend kunstenaars ontstaat pas tegen het eind van de jaren negentig de drang monumentale objecten op te richten om de herinnering aan de roma-holocaust levend te houden. Waarom pas zo laat?

Als niet-zigeuners weten we niet hoe de roma de holocaust tot dan toe beleefden, in hun cultuur en in hun herinnering. Hoe mondde de orale overlevering van de traumatische gebeurtenissen uit tot een ritueel, wat gebeurde er stilletjes in de ziel van de roma?

Publicaties over de geschiedenis van de roma-vervolging zagen, zoals gezegd, het licht in de eerste helft van de jaren tachtig. Maar deze werden sterk door de overheid gecontroleerd. Het lijden onder de nazi's werd gezien als iets uit het verleden.

Verschillende groepen waren het oneens en de relatie met het heden werd nog niet gelegd.

Toch komt iets later – vooral bij de jongere generatie – de behoefte op om georganiseerd en officieel, ofwel in rituele vorm de holocaust te herdenken, het herinneren tot een viering te maken. Vanaf het begin van de jaren negentig organiseren ook intellectuelen hun eigen herdenking. Gaandeweg krijgen hun bijeenkomsten een meer ritueel karakter: zo ontstaat de wake [bijeenkomst om overledenen te herdenken, JR]. Na enige aarzeling haakt de politiek hierop in, op het moment dat de herdenking het karakter van politiek en burgerrechtelijk verzet dreigt te krijgen. De machthebbers eisen de wake voor zichzelf op en misbruiken dit ritueel voor het versterken van een positief beeld van zichzelf. We kunnen gerust stellen dat de politieke macht de viering voor eigen gewin heeft gedomineerd, deze laatste jaren.

Als gevolg van dit spanningsveld tussen de belangen van de politiek en die van de bevolking ontstaat een serieuze discussie over vragen als: waar gaat het herdenken eigenlijk over? Wie worden er herdacht en voor wie is de herdenking belangrijk? Kan er een verband worden gelegd tussen de historische feiten en de actualiteit?

Een ritueel is een geformaliseerde gebeurtenis die pas gaandeweg zijn vorm krijgt, hetgeen mogelijk maakt dat verschillende groepen het ritueel gaan opeisen. Heel belangrijk is daarom de benaming. Hoe noemen we datgene wat we herdenken? Ten aanzien van de joden kwam dat in de decennia direct na de Tweede Wereldoorlog neer op algemene omschrijvingen als 'volksvernietiging' of 'deportatie'. In plaats van deze omschrijving van de gebeurtenissen konden ook de betrokkenen worden genoemd, bijvoorbeeld 'de slachtoffers van het nazisme', of de plaats, zoals 'concentratiekamp'.

Tot in 1978 in de populaire Amerikaanse documentaire filmserie *Holocaust* van Marvin J. Chomsky de term werd geïntroduceerd, die de gebeurtenissen én de betrokkenen in zich verenigt. De echte naam was gevonden.

'Holocaust' had in het begin uitsluitend betrekking op de joden en werd dus zonder nadere bepaling gebruikt, totdat het in de jaren tachtig en negentig ook voor de vervolging van de zigeuners in gebruik raakte. De samenstelling 'zigeuner-holocaust' ontstond, wat later 'roma-holocaust' is geworden. Dit markeerde het begin van de erkenning van het gemeen-schappelijke lijden van deze bevolkingsgroep en hield voor hen dus een vorm van emancipatie in: in hun lijden waren ze gelijkwaardig aan de joden. Toch ontstond er niet lang daarna behoefte aan een eigen 'zigeunerwoord', dat in eerste instantie leek te zijn gevonden in de term Porrajmos [2].

Al snel ontstond er een controverse over deze term: drie taalkundigen, die romani als moedertaal hebben, plaatsten vraagtekens bij de veronderstelde betekenis van het woord met als argument dat het in verschillende dialecten een seksuele connotatie heeft. De oplossing kwam in het voorjaar van 2004, in de weken vóór de opening van het Holocaust-gedenkcentrum, van József Choli Daróczi, een van de drie critici, die voorstelde het woord te schrijven als *Pharrajimos*; een voorstel dat algemeen bijval vond.

Waar wel meteen overeenstemming over werd bereikt, was het tijdstip van herdenken. In de nacht van 2 op 3 augustus 1944 zijn duizenden zigeuners in Auschwitz vermoord. Met de keuze van dit moment werd de solidariteit en saamhorigheid van alle zigeuners, waar ook ter wereld, benadrukt.

Als we de laatste herdenking bekijken, zien we dat er eigenlijk drie verschillende herdenkingen zijn.

Het landelijke zigeuner-zelfbestuur hield 's middags, in het zonnige daglicht, in het eigen kantoor een herdenking met een protocollair en representatief politiek karakter. Er werd gesproken door vooraanstaande politici en zigeuners, na de kranslegging was er een kort feestelijk, artistiek programma. Tegelijkertijd vond de jaarlijkse herdenking plaats in Nagykanizsa. Het namiddagprogramma was een sportwedstrijd, gevolgd door een optreden van zangeres Margit Bangó.

Al vijftien jaar wordt er in Nagykanizsa herdacht en de aan-wezigheid van politici is langzamerhand gebruikelijk, maar het is toch geen echt gemeenschappelijke herdenking geworden. Op de derde locatie, in Boedapest, langs de Donau in het Neru-park, organiseerde de Roma Burgerrechtelijke Stichting haar nu reeds traditie geworden herdenking. Naast Aladár Horváth, voorzitter van de Stichting, bepalen de gedachten van Ágnes Daróczi al jaren de vorm en inhoud van deze herdenking.

Deze vorm is ook maatgevend voor de andere roma-gemeen-schappen. Het allerbelangrijkste element vormt de wake. Binnen gezinnen en kleine gemeenschappen behoort deze traditioneel tot de riten die voorafgaan aan een begrafenis. Het waken begint met het invallen van de duisternis en duurt theoretisch tot de dageraad, tot de overwinning van het licht. Het waken is tegelijkertijd het beschermen van elkaar en het verre houden van het kwade. Dit wordt ondersteund door het branden van kaarsen en lichtjes als 'lichtwapens' die het donker verre houden, maar meer nog door gesprekken, door droevige liederen, en steeds minder door toespraken. De plechtige toespraken en politieke redevoeringen zijn langzamerhand uit de wake verdwenen. In het begin was deelname van politici belangrijk bij de herdenkingen op het plein vóór het parlement: alsof zij de echtheid van het lijden zouden legitimeren en hun excuses de smarten zouden verminderen. Zoals waken in het algemeen zijn ook deze herdenkingen tegenwoordig vrij en ongedwongen. De deelnemers zitten op de grond, in het gras, ze nemen kleine slokjes wijn of brandewijn. De eerste slok gieten ze op de grond voor de dode, in dit geval voor de tien-duizenden doden. Om de beurt lezen ze nu en dan vijftig à honderd namen op uit de namenlijst van de vernietigde roma, zoals dit ook al lange tijd gebeurt bij de herdenkingen van de

omgekomen joden in de Tweede Wereldoorlog. Iedere op-
gelezen naam is één aanklacht, het benoemen van één
individuele misdaad en de totaliteit creëert het bewustzijn van
het collectieve lijden.

Bij het waken hoort het begrafenisritueel. Het in de grond
gestoken kruis, de kransen en bloemen, de gebeden van een
soms aanwezige geestelijke duiden als het ware het gemeen-
schappelijke graf aan. Het in elkaar overvloeiende waken en
begraven maken dat de lijdensgeschiedenis opnieuw kan
worden beleefd, elk jaar weer. Immers, we huilen en rouwen
niet meer om onze 'persoonlijke' en 'eigen' doden, maar om de
zigeuners/roma. Dat er niet alleen dáár waar slachtoffers vielen
wordt herdacht, maar op steeds meer plaatsen; dat er steeds
meer mensen waken, een kaars aansteken; en dat er gedenk-
platen zijn opgericht, betekent dat de roma universeel de
solidariteit met alle roma-slachtoffers op zich nemen. Ook leden
van hun eigen gemeenschap hadden potentiële slachtoffers
kunnen zijn: waar toevallig 'niets' gebeurd was, ook daar had
zich een tragedie kunnen afspelen.
En ook de tijd krijgt een andere betekenis. Niet alleen het waken
en het begraven lopen in elkaar over, ook het verleden en het
heden. De volksvernietiging in het verleden wordt van deze
tijd en metafoor van de tegenwoordige sociale betrekkingen.
De lijdensgeschiedenis ten tijde van de heerschappij van het
fascisme en de pijlkruisers, het ontnemen van rechten, van
vrijheid en leven, wordt nu het ontnemen van werk, scholing
en menswaardige levensomstandigheden, de toename van
sociale ongelijkheid en de dagelijkse en geïnstitutionaliseerde
discriminatie van de roma in het algemeen, een vorm van
langzame, doch systematische volksvernietiging.

Ik ben van mening dat de beeldend kunstenaars onder de roma
die zich pas rondom de eeuwwisseling intensief met het 'thema'
hebben bemoeid, de ooit bestaande en verloren gegane
zigeunereenheid tonen. De krenking van het deporteren en de

volksvernietiging die iedere zigeuner/roma evenzeer heeft
getroffen, creëerde opnieuw een eenheid. De gemeenschappelijke vervolging en het bewustzijn van het bij elkaar horen
resulteerde in respect voor en solidariteit met elkaar.
De tragedie van de roma heeft zodoende de nieuwe eenheid
van de roma gecreëerd, de saamhorigheid van vervolgden.
Hierover vertelt grootmoedertje Vrana aan haar kleinkind
Mozolka.

Péter Szuhay
Antropoloog bij het Volkenkundig museum in Boedapest
(Néprajzi Múzeum)

Het herdenkingsmonument in het Neru-park in Boedapest. In het zwarte,
glimmende monument zitten gleuven waardoor je het brandende licht
binnenin kunt zien.

Ágnes Daróczi.

De herdenking op 2 augustus 2009 in het Neru-park in Boedapest.

Begrippenlijst

Naast het onderscheid tussen roma (zigeuners hoofdzakelijk uit Oost-Europa) en sinti (hoofdzakelijk uit West-Europa) zijn er meer onderverdelingen van **stammen en benamingen** naar beroep of voormalig beroep: beás zigeuners, oláh zigeuners, kalderash, lovári, kolompár en nog veel meer.
Zigeuners gebruiken zelf vaak de benaming rom [mens], ter onderscheiding van de gadjo (niet-zigeuner, letterlijk: barbaar, boerenkinkel). Hoewel het woord 'zigeuner' voor sommigen een negatieve bijklank heeft, zijn er veel zigeuners die het niets kan schelen. Omdat de mensen in dit boek zichzelf zigeuner noemen, heb ik ervoor gekozen ze vrijwel steeds met die term aan te duiden, in plaats van met rom.
De bestuurders en boeren noemden de oláh zigeuners (zigeuners uit Walachije) 'kolomparen', vandaar dat zoveel zigeuners in Zuid-Hongarije deze familienaam dragen.

De Hongaarse **pijlkruisers** vormden een antisemitische en fascistische beweging die in de herfst van 1944 aan de macht kwam, geholpen door de Duitse nazi's, die in maart 1944 Hongarije binnenvielen. Van oktober 1944 tot mei 1945 voerden de pijlkruisers onder leiding van **Ferenc Szálasi** een waar schrikbewind.

Pharrajimos is de zigeunerbenaming van de roma-holocaust. Péter Szuhay gaat daar in zijn artikel 'Van holocaust tot pharrajimos' op pagina. 121 nader op in.

Het **Sterrenfort (Csillageröd)** is een groot fort in Komárom, ingebed in een stervormige vestingwal. Het deed in de herfst van 1944 dienst als verzamel-bunker en vertrekpunt van deportaties.

In 1937 werden de **rechten van zigeuners** sterk beperkt: de plaatselijke bestuurder besliste dat zigeuners geen toegang meer hebben tot het dorp, ze alleen onder begeleiding van de hulprechter het dorp in. Die begeleidt ze ook weer terug naar de kolonie. In 1938 was het gebruikelijk dat zigeuners worden gecontroleerd op gezondheid en luizen en dat ze worden geschoren en geknipt.

Waar in sommige interviews over dagloon wordt gesproken, heb ik de Hongaarse **oude munteenheden** fillér of pengő vervangen door cent.

In het Hongaars worden mensen ouder dan vijftig jaar vaak aangesproken met **'oom'** of **'tante'**, ook als er geen familieverband bestaat. Het is persoonlijker dan mevrouw of meneer, maar geeft iets meer afstand aan dan alleen de voornaam. Ook de schooljuf bijvoorbeeld wordt, zelfs als ze jong is, aangesproken met 'tante'.

Noten

[1] De citaten zijn afkomstig uit het hoofdstuk 'Under the sod' uit het boek *Roma Holocaust*.

[2] Volgens de huidige opvattingen werd het in 1996 gebezigd in het tijdschrift *Phralipe*, in de Hongaarse vertaling van een artikel van Ian Hancock. De Hongaarse auteur László Seres gebruikte de uitdrukking van Hancock in 1997 in een reportage over de wake op het plein vóór het parlement, georganiseerd door de Roma Burgerrechterlijke Stichting. *Porrajmos* is bovendien de titel van het boek over de zigeunervervolging dat in 2000 verscheen bij het Roma Perscentrum en het is ook de titel van een documentairefilm van Ágota Varga.

Geraadpleegde literatuur

János Bársony en Ágnes Daróczi, *Pharrajimos*, L'Harmattan, Boedapest 2004

Nico Bogaart, Paul van Eeuwijk, Jan Rogier, *Zigeuners*, Elsevier, Amsterdam-Brussel 1980

László Karsai, *A cigánykérdés Magyarországon, 1919-1945*, Cserépfalvi, Boedapest 1992

Katalin Katz, *Visszafojtott emlékezet*, Pont kiadó, Boedapest 2005

Roma Holocaust, *Roma Sajtóközpont*, Boedapest 2004

Szabolcs Szita, *Tények, adatok*, Magyar Auschwitz Alapítvány 2000

Colofon

Deze uitgave is mede tot stand gekomen met financiële steun van:
Fonds voor Beeldende Kunsten Vormgeving en Bouwkunst
Fonds Bijzondere Journalistieke Projecten
Nationaal Fonds voor Vrijheid en Veteranenzorg

Fotografie en bewerking teksten: Jutka Rona

Originele interviews:
Zsuzsanna Horváth en Mária Sárközi: Gábor Sárközi
Aranka Farkas: Krisztina Balogh
Károly Komáromi: János Bársony
Aranka Bogdán en András Kő: Elza Lakatos
Redactie Hongaarse teksten: Péter Szuhay
Vertaald uit het Hongaars door: Erika Kósa
Redactie: Marijke Jalink
Eindredactie: Otto Haan

Grafische vormgeving: Monique Spoorenberg
Cartografie: Bert Stamkot, cartografisch bureau, MAP
Druk: Mart Spruijt

Uitgeverij Bas Lubberhuizen

www.lubberhuizen.nl
ISBN 978 90 5937 241 2
NUR 689

© 2010 foto's Jutka Rona